9층나경의

팔요수와 화천살 □'실 연구

성 산 박 영 인 저

서 문

본 연구는 풍수지리에서 9층 나경은 좌향을 놓는 중요한 도구인데 1층 용상팔살과 팔요수, 2층 황천살이 항상 발생하는지에 관한 연구이다. 나경 1층 용상팔살과 팔요수는 一卦三山과 六爻重卦의 渾天甲子의 官鬼殺로 만들어졌다. 실전 경험과 이론을 통해 용상팔살과 팔요수, 황천살이라는 기존의 이론을 재조명하였다.

본 고는 용상팔살과 팔요수, 황천살은 龍入首와 穴入首와의 상호관계에 대한 의문점을 연구하였다. 연구를 실현하는 데 있어 說은 다양하나 학술자료가 미비하여 학문적으로 명백한 증거도출에 중점을 두었다.

논자는 다음과 같은 연구 방법을 채택하였다. 龍入首는 부모산에서 落脈한 곳을 측정하고, 穴入首는 뇌두에서 혈심으로 들어오는 落脈處를 측정하였다. 龍入首의 淨陰淨陽에 따라 向을 정하는데 이때 1층의 용상팔살과 팔요수와 2층 황천살이 원인 발생으로 인식하였다. 문제 해결 방법으로는 고탁장로의 『入地眼全書』를 통해 체계 있게연구하였다.

重天乾卦의 혼천갑자 乾金甲子外壬午의 四爻가 壬午이다. 午가 乾卦 오행인 金을 克하여 용상팔살, 팔요수로 午向을 못하고, 午方의 물을 꺼린다. 一卦三山을 적용하면 戌, 乾, 亥인데 午가 克하는 것은 乾金 뿐이다. 午방의 물은 巽向, 巳向만 문제를 일으키는데 정음정양의 陰陽合局이 아닌 陰陽破局에 원인을 두고 있기 때문이다. 巽坐乾向을 했을 때 辛, 壬이 황천으로 나경에 규정되어 있는데 辛은 黃泉이고, 壬은 黃泉이 되지 않음을 정음정양의 陰陽合局과 破局을 통해 황천살의 유무를 규명하였다.

이를 통해 논자는 용상팔살과 팔요수, 황천살이 항상 성립한다는 이론이 재고되어야 한다는 연구 결과를 도출하였으니, 후학들이 실전에 응용한다면 많은 도움이 되리라 생각한다.

주제어 : 풍수, 합국과 파국, 나경, 황천살, 용상팔살, 팔요수

2024년 양력 7월 3일

광주광역시 신가동 기문풍수리학회 사무실에서
기문풍수지리학회장
성산 박 영인(서홍)

●●● 목 차 ●●●

九층 나경 팔요수와 황천살의 허실 연구

1장 서 론

풍수지리학의 연구 중에서 나경을 주제로 한 연구는 많이 있다. 논자는 학위논문류와 연구논문류 및 단행본류 등에서 어느 풍수지리학자도 의문을 제기하지 않은 9층 나경의 1층에 해당하는 팔요수·용상팔살과 2층의 황천살에 관한 몇 가지의 의문을 가지고 본 연구를 시작하였다. 이러한 연구의 방향은 고전의 이론을 중심으로 기술해 가고자 한다.

한국에서 음택이나 양택을 막론하고 풍수지리학을 연구하는 사람들은 일반적으로 9층 나경을 제일 많이 사용한다. 9층 나경에서 1층을 팔요살이라고 하는데 一卦三山인 팔괘의 官鬼殺을 말한다. 팔요살은 龍入首(=外入首)와 向간의 관계인데 입수에 따른 坐向을 놓을 수 없는 9개의 관귀살이 있어 실제로는 九曜殺이라고 해야 적당할 것이다. 이것이 용상팔살 또는 팔요살이라고 한다.

一卦三山인 八卦를 기준으로 관귀살을 논하면, 나경 1층에 규정되어 있는 모든 것이 용상팔살에 해당하므로 坐向을 놓을 수 없다. 팔요수 역시 나경에 규정되어 있다. 항상 팔요수가 되는지는 연구할 필요성이 있다.

『羅經透解』「八殺黃泉」에서 다음과 같이 논하고 있다.

> 坎龍은 辰, 戌水來로 殺이 2개이고, 坤龍은 卯水來, 震龍은 申水來, 巽龍은 酉水來, 乾龍은 午水來, 兌龍은 巳水來, 艮龍은 寅水來, 離龍은 亥水來면 팔요수다.[1]

---

[1] 王道亨, 『羅經透解』, 「八路黃泉」, 瑞成書局, 2016, p.19. "如坎龍辰戌水來, 其殺有二, 至坤龍卯水來, 震龍申水來, 巽龍酉水來, 乾龍午水來, 兌龍巳水來, 艮龍 寅水來, 離龍亥水來"

9층 나경의 2층은 황천살이며 八路四路 黃泉殺이라고 한다. 이러한 황천살은 坐向을 기준으로 황천을 보는 것이다. 먼저 癸向이면 艮方이 黃泉이고, 艮向이면 癸, 甲方이 황천이고, 甲向이면 艮方이 황천이고, 乙向이면 巽方이 황천이고, 巽向이면 乙, 丙方이 황천이다. 丙向이면 巽方이 황천이고, 丁向이면 坤方이 황천이고, 坤向이면 丁, 庚方이 황천이고, 庚向이면 坤方이 황천이고, 辛向이면 乾方이 黃泉이다. 또한 乾向이면 辛, 壬이 황천이고, 壬向이면 乾方이 황천이 된다. 上記와 같은 向으로 재혈하면 황천이라고 하는데 과연 이 이론은 허구가 없는지 연구하고자 한다.

본 연구에서는 9층 나경에서 1층에 있는 용상팔살은 언제나 팔요살이 될 것인지와 八曜水가 항상 凶禍가 발생하는지의 여부를 入首龍과 向間의 관계로 알아보고, 혼천갑자와 주역 육효중괘로 된 官鬼爻를 연구해 보고자 한다. 9층 나경의 2층에 있는 황천살은 항상 황천살이 되는지를 보성수법을 통해서 실증할 것이다. 이러한 연구는 나경의 1층과 2층을 실질적으로 運用하고자 하는 것에 연구의 목적이 있다.

풍수지리학이 발전하면서 형기론인 만두형세에 관련한 漢代 靑鳥子의 『靑鳥經』, 晉代 郭璞의 『錦囊經』등의 풍수지리 고전은 비약적인 발전을 한 것 또한 사실이다. 천성이기 이론의 핵심인 나경은 옛날에는 단지 12지지를 가지고 좌향을 측정하였으나 赤松子에 이르러 八干 四維를 첨가해 24山이 만들어진 이후에는 당, 송, 명, 청을 거치면서 비약적인 발전을 이루었다.

나경의 연구에 반복되고 있는 논문들이 한결같이 나경을 1층부터 9층까지 또는 20층, 36층까지 나열하여 기술하고 있지만 9층 나경에서 특히 1층과 2층에 관한 의문을 가지고 접근하는 선행연구는 全無하였다.

논자는 풍수지리학의 만두 형세, 천성이기 이론 중 도처에서 거짓 이론 등이 산재해 있다고 생각하고 있다. 아마도 이러한 잘못된 이론은 玉龍子 『警世錄』에서 "조서에 말하길 왕후공경과 서인에 이르기까지 만약 이 글을 본 자는 마땅히 율법으로써 三師의 글을 회수하여 大都에서 모두 소각하니라. 一行이 새롭게 雜五行을 짓는다."[2]라고 하였다. 또한 옥룡자 『警世錄』에서 "첫째 말하길 지리대전과 사대국과 사탄자와 정음정양

---

2) 옥룡자, 『玉龍子 警世錄』, 출판사, 년대미상, p.6. "其詔曰自候王公卿庶人 若見此文者 當以律 盡收三師之文 燒焚于大都之中 一行新造雜五行"

과 쌍산오행과 팔십팔향과 대소현공과 번천도지와 율려격팔상생과 사금
도회등서를 차례대로 지어서 출간하고 또한 분금의 묘법과 나경 반침을
지어내어 이것에 불합하면 저것이 합도하고, 저것이 불합하면 이것이 합
도하게 하니 그 사실은 비슷한 것 같지만 비슷하지 아니한 것이다.”[3]라
고 하였다. 옥룡자『警世錄』에서 “무릇 수법이라는 것은 一行의 본뜻이
만산에 人骨을 葬하여 산천의 기운을 더럽게 하면 인재가 감소 될 것이
다. 그러므로 雜家五行 胞胎法을 지어내 놓으니 전적으로 세상을 어지
럽게 한 즉 그 이치가 그러한 것 같기도 하고 그렇지 않은 것 같기도
하니 一行은 地理家之罪人.”[4]이라고 唐 一行을 표현한 것을 보면 풍수
지리이론의 곳곳에 「滅蠻經」의 이론 등이 존재할 것이다.

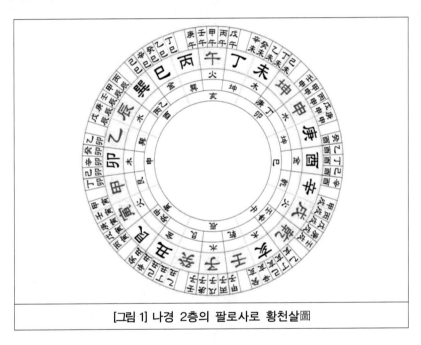

[그림 1] 나경 2층의 팔로사로 황천살圖

본 논고에서는 현재에도 풍수사들이 가장 많이 사용하고 있는 9층 나경
의 1층 팔요살과 2층 황천살의 잘못된 적용을 학문적인 이론은 고전에

---

3) 옥룡자,『玉龍子 警世錄』, 출판사, 년대미상, p.6. “一日 地理大全 四大局 四彈子 淨陰
   淨陽 雙山五行 八十八向 大小玄空 飜天倒地 律呂隔八相生 四金都會等書 次第做出
   亦有分金之妙法 亦造羅經盤針 不合于此 則合于彼 不合于彼則合于此 其實似是而非
   矣”
4) 옥룡자,『玉龍子 警世錄』, 출판사, 년대미상, p.13. “凡水法者 一行之本意 滿山人骨葬
   汚穢山氣 以減人才故 做出雜家五行胞胎專務惑誣則其理其然 否然 一行地理家之罪人”

근거를 둘 것이고, 실전경험을 더하여 오류가 있음을 새롭게 정립하고자
한다.

9층 나경에서 1층의 龍上八殺을 이해하기 위해서는 육효의 원리를 이해해야 하는데, 여기에서는 육효의 전반적인 원리를 설명하지 않고 육효의 기본원리만 摘示하여 나경 1층의 의미를 이해하고자 한다.

괘의 기본은 소성괘로 구성된 팔괘와 대성괘로 구성된 64괘가 있으며, 괘의 명칭은 『五行大義』「八卦」에 잘 나타나 있다.

> 팔괘라는 것은 주역에 말하길 옛날 庖羲氏 왕 천하일 때 우러러 하늘의 상을 관찰하고, 구부려 땅의 법을 관찰할 때 새와 짐승의 글과 더불어 땅의 마땅함을 관찰할 때 가까이는 제 몸을 취하고, 멀리는 제 사물을 취하여서 비로소 팔괘를 지었고, 이로써 신명의 덕을 통해, 만물의 정의 종류와 삼재를 겸해서 2가지가 된 고로 6획의 괘가 이루어지고 그로 인해 8방의 8풍을 통하고, 8절기가 이루어진 연유로 괘가 8개가 있게 되었다.[5]

이것이 바로 乾, 兌, 離, 震, 巽, 坎, 艮, 坤이다. 각각 8괘가 거느리고 있어 8×8해서 64괘가 된다.

육효학을 익히려면 기본적으로 8괘의 오행 소속과 순서를 알아야 한다. 팔괘 오행은 괘의 오행을 따라가는데 『五行大義』「八卦의 五行配屬」에 의하면 "그 오행의 배당은 乾, 兌는 金이고, 坎은 水이고, 震, 巽은 木이고, 離는 火이고, 坤, 艮은 土인데 각각 방위로써 말한다."[6]라고 하였다.

소성괘로 구성된 8괘가 2개씩 上卦(=外卦)와 下卦(=內卦)로 결합 된 것이 64괘라 하는데, 內卦 초효부터 상효까지 6개의 효가 있어 육효라 한다. 64괘는 전부 육효로 구성되어 있어 384爻가 있게 되는데 『혼천오행가』[7]

---

5) 蕭吉 著, 『五行大義』, 「第十七論八卦八屬」, 集文書局印行, 중화민국74년, p.247. "八卦者 周易云 古者 庖羲氏之王天下也 仰則觀象於天 俯則觀法於地 觀鳥獸之文與地之宜 近取諸身 遠取諸物 於是始作八卦 以通神明之德 以類萬物之情 兼三才而兩之 故六劃而成卦 因八方之通八風 成八節之氣 故卦有八"

6) 蕭吉 著, 『五行大義』, 「第十七論八卦八屬」, 集文書局印行, 중화민국74년, p.247. "其配五行者 乾兌爲金, 坎爲水, 震巽爲木, 離爲火, 坤艮爲土 各以方位言之"

7) 王道亨, 『羅經透解』, 瑞成書局, 2016, p.20. "乾金甲子外壬午 坎水戊寅外戊申 艮土

를 통해서 육효를 붙일 수 있다. 『혼천오행가』에 의하면 乾金甲子外壬午는 乾은 괘 오행이 金이고, 重天乾卦의 內卦(=下卦)의 초효가 甲子라는 의미이고, 外卦(=上卦)의 초효는 壬午라는 의미이다. "四陽卦 일때에는 子寅辰午申戌 순서대로 일으키고"8), 六爻重卦의 초효부터 상효까지 육효를 붙여나가는데 아래의 표와 같다. 아래의 用九, 用六은 說卦 제1장 "參天兩地"9)에서 나온 것으로 參天과 兩地이란 "生數인 1,2,3,4,5중에서 1, 3, 5 숫자를 參天이라 말 하는데 합하면 9로써 陽을 대표하고, 2, 4 숫자를 兩地라 하는데 합하면 6이 되어 陰을 대표"10) 한다.

乾卦, 金			
外卦 (=上卦)	上九爻	─	壬戌
	五九爻	─	壬申
	四九爻	─	**壬午**
內卦 (=下卦)	三九爻	─	甲辰
	二九爻	─	甲寅
	初九爻	─	**甲子**

[표 1] 重天乾卦의 六爻圖

辜託長老는 『入地眼全書』「渾天甲子」에서 下記와 같이 기록하고 있다.

세인들이 팔살황천이라 불러 모두 두려워하고 꺼려하나 팔살룡과 팔살수, 팔살사가 있음을 모르기 때문이다. 가소롭게도 시사들이 心中으로는 八殺을 두려워하면서 입으로는 八殺을 말하고, 수중에 나경을 붙잡고 八殺을 만드니 소이 역시 八殺向이 있다고 간주하고, 혹 단지 八殺龍만 안다고 하고, 혹 八殺水만 안다고 하고, 혹 八殺砂만 안다고 하며, 向은 알지 못하니 어찌 水와 더불어 龍砂를 알리오! 가소롭게도

丙辰外丙戌 震木庚子庚午臨 巽木辛丑外辛未 离火己卯己酉尋 坤土乙未加癸丑 兌金丁巳丁亥平

8) 辜託長老,『入地眼全書 卷六』,「渾天甲子」, 竹林書局, 중화민국83년, p.9. "四陽卦順起 子寅辰午申戌"
9) 明文堂 編纂,『正本 集註周易』,「說卦傳 제1장」, 명문당, 2001, p.419. "參天兩地而 倚數"
10) 大山 金碩鎭,『大山 周易講解 上經』, 대유학당, 2000, p.40.

지금의 시사, 방안 풍수 선생들이 주석을 단 천 권의 책들의 口訣 하나의 구절을 알지 못한다. 바야흐로 八殺을 쉽고 명쾌하게 알게 하겠다.[11]

"坎龍(子龍)은 辰戌水를, 坤龍은 卯水를, 震龍은 申水를, 巽龍은 酉水를, 兌龍은 巳水를, 乾龍은 午水를, 艮龍은 寅水를, 午龍은 亥水를 꺼린다. 이것이 八殺龍水이다. 또 말하기를 坎龍은 辰戌水를 꺼리지 아니하고, 乾龍은 午水를 꺼리지 않고, 그것을 보는 것을 기뻐 한다고 말하나 八殺來龍에 八殺水朝하면 大貴之地가 된다는 것은 모르기 때문이다. 그 訣은 모두 龍으로 水를 분별함에 있는 것이니 依水 立向하면 化煞爲官하여 將臺에 오르는 것이다."[12]라고 하였다. 논자는 依水立向하는 法手는 많이 있으나 무학대사가 즐겨 사용하고, 辜託長老가 『入地眼全書』에서 주장한 정음 정양을 바탕으로 한 의수 입향법이 가장 적법하다 판단된다.

팔요살을 논하기 위해서는 먼저 入首龍의 좌향을 측정해야 된다. 入首龍의 좌향은 4층 지반정침 24산으로 측정하고, 혈에서의 좌향 역시 4층으로 측정한다. 入首處에 대해서는 풍수지리학계의 오래도록 논란이 된 이론이다. 入首에는 두 가지가 있는데 龍入首處와 穴入首處로 나누어진다.

龍入首處는 『地理四彈子』「理氣章正訣」에서 말하길 "入首는 山을 열개 되고, 立向의 가장 긴요한 곳이다."[13]라고 하였고, 또한 "부모산 아래의 속기, 결인한 胎息을 이루는 것으로 이것은 入首의 山이 되고, 이른 바 主星이라고 하였으며, 入首는 到頭1節을 말하는데 到頭하여 개장을

---

11) 辜託長老, 『入地眼全書 卷六』「渾天甲子」, 竹林書局, 中華民國83, p.9. "世人號爲八煞黃泉 皆畏忌之殊不知有八煞龍 八煞水 八煞砂 可笑 時師心中所畏忌者八煞 口中又在講八煞 手中拿起羅經 又在做八煞所以亦有八煞向者 或曰止知八煞龍者 或曰止知八煞水者 或曰止知八煞砂者 一向不知焉知龍砂與水乎 可笑今之時師 屋裏先生 註書千卷不知口訣一句 方知八煞易明"

12) 辜託長老, 『入地眼全書 卷六』, 竹林書局, 中華民國83, p.9. "坎龍忌辰戌水 坤龍忌卯水 震龍忌申水 巽龍忌酉水 兌龍忌巳水 乾龍忌午水 艮龍忌寅水 午龍忌亥水 此八煞龍水也 又云 坎龍不忌辰戌水 乾龍不畏午水 且喜見之殊不知 八煞來龍 八煞水朝乃大貴之地 其訣總在因龍辨水 依水立向 所謂化煞爲官登將臺"

13) 劉伯溫, 『地理四彈子』「理氣章正訣」, 大山書店總經銷, 中華民國30, p.110. "此入首爲開山 立向之最緊要也"

하여야 한다."14)라고 하였다.

『入地眼全書』에서는 더욱 명확하게 "부모산이 곧 용입수처다"15)라고 하였다. 그러므로 龍入首(=外入首)는 부모산에서 락맥하고 난 후에 혈성을 기두하기 전에 결인을 하게 되는데 결인처의 分水脊上에서 나경을 하반침하여 부모산에서 락맥하는 곳을 바라보고 나경을 정반정침 후 어느 글자로 들어오는지 보는 것을 말한다.

龍入首(=外入首)

결인처

[그림 2] 김극뉴 묘: 순창군 인계면 마흘리 산36

입수를 측정할때에는 락맥처를 측정하는 것을 명심해야 한다. 아래의 그림과 같은 것을 락맥이라 한다.

---

14) 劉伯溫,『地理四彈子』, 大山書店總經銷, 中華民國30, p.112. "父母山下束氣結咽乃成胎息 此爲入首之山 所謂主星也 入首卽是到頭一節 到頭開"
15) 辜託長老,『入地眼全書 卷二』,「龍法」, 竹林書局, 중화민국83, p.1. "父母山乃龍入首處"

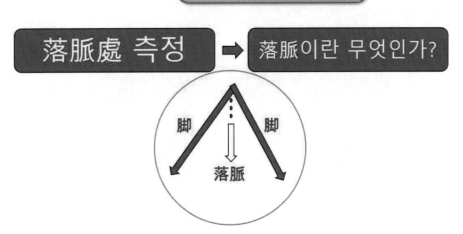

아래와 같은 것은 락맥이라 하지 않고 학조포 또는 계조포라 한다. 이렇게 된 것은 락맥이 아니니 용이 아니다. 고로 이러한 산 밑에는 집터, 묘터가 생성되지 않는다.

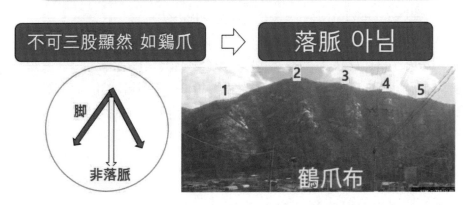

또한 龍入首를 4층 지반정침으로 측정하면서 5층 천산72룡 중 어느 천산72룡으로 들어오는지 측정하는 것이다. 『기문풍수지리학』에서는 "천산

본괘는 동변32괘와 서변32괘의 선천팔괘의 順逆으로 60괘를 子 龍入首 戊子穿山72龍부터 地雷復卦를 시작하여 庚子穿山72龍은 山雷頤卦, 壬子穿山72龍은 水雷屯卦로 붙여 좌선으로 60괘와 72후를 붙여나간다."16)라고 하였다.

龍 入 首와 천산72룡

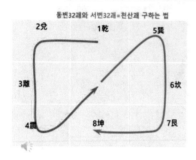

동변32괘와 서변32괘=천산괘 구하는 법

　용상팔살에서 말하는 入首는 바로 이 龍入首處를 말하는 것이다. 나경 4층에서 子 入首龍이라면 5층에는 4층 대비 丙子龍, 戊子龍, 庚子龍 중에서 어느 천산룡으로 들어오는지 측정하고 길흉관계를 기문둔갑으로 논하는 것으로 용입수처는 上記의 [그림 2]와 같다.
　穴入首處는 『地理四彈子』「理氣章正訣」에서 말하길 "入手란 무엇인가에 대하여 마치 사람의 物을 취하듯 입수란 실질적으로 氣脈의 受用處를 말하고, 대개 穴中의 기맥을 말하는 것이고, 옛사람들이 소위 草蛇灰線으로 들어오는 혈의 맥이 바른 것이 입수맥이라고 말하였는데, 만약 草蛇灰線이 있으면 脈絡이 분명하고, 참된 氣가 도달하게 되는 것이다."17)라고 하였다. 『入地眼全書』「龍法」에서는 "融結한 穴處를 育이라 하

---

16) 朴永仁, 『奇門風水地理學』, 글로리아북, 2015, pp.38-41.
17) 劉伯溫, 『地理四彈子』, 大山書店總經鎖, 中華民國30년, p.111. "何以入手 如人之取物 入手乃其實受用處 蓋指穴中之氣脈言也 古人所謂 草蛇灰線穴之脈 正以入手言二 若有草蛇灰線 則脈絡分明 眞有氣到"

는데 毬髥의 중심을 말하며, 이것은 羅紋으로 자식의 탯줄이 나오는 곳이 育이다. 탯줄이 바로 龍의 入首處다."18)라고 하였는데 이것이 穴入首處이다.

穴入首를 측정하는 곳은 승금, 즉 뇌두 중심에서 혈로 들어오는 곳인데 『풍수지리이기법』에서 "龍으로써 向을 定할 때에는 마땅히 入路陰陽을 살펴야 한다."19)라고 하였는데 이는 혈을 관통하는 龍의 脈인 투지맥을 말하는 것이다. 이곳은 미미하게 있는 듯, 마는 듯하다. 分水脊上에서 나경을 下盤針하여 혈처에서 승금의 중심을 바라보고 투지맥을 측정한다. 風水地理家가 조절할 수 있는 것은 오직 7층에 있는 투지60룡이다. 투지60룡은 9층에 있는 천반봉침 120분금을 조절함에 따라 투지60룡이 바뀌는데 이러한 투지60룡을 음택지의 前後左右 만두 형세에 맞추어서 조절할 수 있는 것이다.

혈입수(=내입수=맥입수)

[그림 4] 김극뉴 묘: 순창군 인계면 마흘리 산36

풍수지리에 있어서 地理라는 것은 "만두로 근본으로 삼는다."20)라고 하여 형세를 살피고 묘지의 혈심에서 측정하여 가장 합당한 투지 60룡을 정하고 이와 배합하여 각각 소속한 節候와 三元을 확인하고 透地가 飛

---

18) 辜託長老, 『入地眼全書 卷二』, 「龍去」 竹林書局, 중화민국 83년, p.1. "融結穴處爲育 卽毬髥之中 卽羅紋 如子之出胎而育也 此乃龍之入首處"
19) 李奇穆, 『風水地理理氣法』, 溫古堂, 1990, p.485. "以龍定向須審入路陰陽"
20) 周景一 著, 『校正山羊指迷』, 大山書店總經銷, 中華民國75, p.7. "論地理以巒頭爲本"

臨하는 宮과 符頭가 飛臨하는 宮을 찾아 透地卦를 선택한다. 이렇게 하여 死者의 집안에 吉的인 작용이 최대가 될 수 있도록 하는 것이다.

투지60룡을 나경원해에서는 "到頭一箸 脈入首處(=穴入首=龍尾處)에서 透地를 재서 三奇가 어느궁에 있고, 마땅히 水路가 來去하는지, 四吉星이 어느 궁위에 있는지와 마땅히 봉만이 빼어나게 솟아 있는지, 子父財官방위에 모두 마땅히 높이 솟앗는지, 祿馬貴人이 모두 마땅히 제자리에 응하는지 보고, 만약에 삼기와 사길이 입혈하였으면 이는 천조지설로 만들어 놓은 美局이니 변화를 줄 필요가 없다.

만약 砂와 水가 합법하지 않으면 分金을 바꾸어 透地로써 소납지법을 취해야 한다. 나경상해에서 신명통변을 말한 바와 같이 도두일지가 차이가 나면 만중산의 차이가 나기 때문이다."[21]라고 하였는데 재혈할 때 풍수는 신중에 또 신중하여야 한다.

현장에서 穴入首와 穴坐間에 淨陰淨陽으로 陽來陽作하고, 陰來陰作하면 음양순청이 되어 집안에 복을 가져다주고, 陽來陰作하거나 陰來陽作과 같이 陰陽駁雜이 되게 穴坐를 놓으면 사람에게 흉함이 발생한다. 穴入首處는 上記의 [그림 4]와 같다.

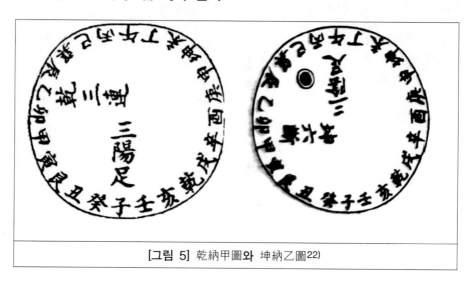

[그림 5] 乾納甲圖와 坤納乙圖[22]

---

21) 목산나경연구소, 『羅經原解券之三』, 「楊公五氣論」, 年代未詳, p.15. "透地爲內卦 法於來龍 入首之處 三奇之宮 宜有水路來去 四吉之位 宜有峰巒聳秀 子父才官皆宜 高起 祿馬貴人 皆宜應位 若得奇吉入穴 更佳 此天造地設 无可更變 如砂水 或不合 局 方於透地 取消納之法 以神明通變之羅經詳解云 到頭差一指 如隔萬重山"

納甲에 대하여 『入地眼全書』에서는 다음과 같이 말한다. "乾은 甲을 納하고, 金에 속한다. 15, 16일 보름달은 전체가 밝다. 三陽이 모두 족함이니 그 象은 乾卦(☰)이다. 戌時에 甲方에 보름달이 있다. 坤은 乙을 納하고 土에 속한다. 30일 초하루 그믐달은 純黑으로 三陰이 모두 족함이니 그 象은 坤卦(☷)이다. 卯時에 乙方"[23]에 달이 보이지 않는다. 上記의 [그림 5]와 같다.

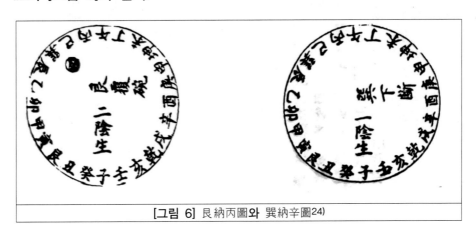

[그림 6] 艮納丙圖와 巽納辛圖[24]

다음으로 "艮은 丙을 納하고 土에 속한다. 24, 25일의 달은 二陰이 아래에 있고 一陽은 위에 있으므로 그 상은 艮卦(☶)이다. 卯時에 丙方에 있다. 巽은 辛을 納하고 木에 속한다. 28, 9일의 一陰이 아래에 있고 二陽은 위에 있어 그 象은 巽卦(☴)이다. 卯時에 辛方"[25]에 있다. [그림 6]과 같다.

---

22) 辜託長老, 『入地眼全書 卷六』, 竹林書局, 中華民國83, p.8.

23) 辜託長老, 『入地眼全書 卷六』, 竹林書局, 中華民國83, pp.7-8. "乾納甲屬金十五六望月全明 三陽俱足象乾卦 戌時在甲 坤納乙屬土 三十日初一日晦月 純黑三陰全備 象坤卦 卯時在乙"

24) 辜託長老, 『入地眼全書 卷六』, 竹林書局, 中華民國83, p.8.

25) 辜託長老, 『入地眼全書 卷六』, 竹林書局, 中華民國83, pp.7-8. "艮納丙屬土 二十四五之月二陰下一陽上 象艮卦 卯時在丙 巽納辛屬木十八九之月一陰下二陽上象巽卦 卯時在辛"

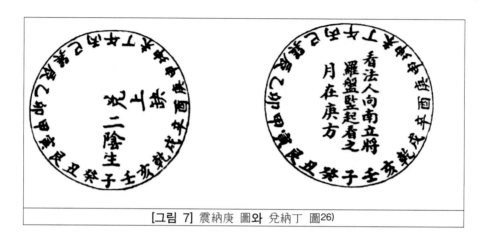

[그림 7] 震納庚 圖와 兌納丁 圖26)

또한 "震은 庚亥未를 納하고 木에 속한다. 초3, 4日의 달은 一陽이 아
래에 있고, 二陰은 위에 있어 그 象은 震卦(☳)이다. 戌時에 庚方"27)에
있다.

"兌는 丁巳丑을 納하고 金에 속한다. 초 8, 9日의 달은 二陽이 아래에
있고, 一陰이 위에 있어 그 象은 兌卦(☱)이다. 戌時에 丁方"28)에 있다.
上記의 [그림 7]과 같다.

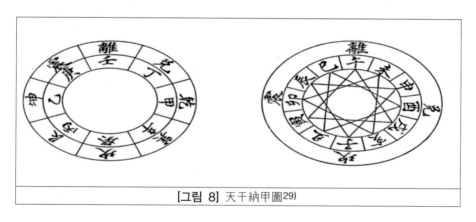

[그림 8] 天干納甲圖29)

다음으로 "離(☲)는 壬戌寅을 納하고 火에 속한다. 離는 태양으로 소멸

---

26) 辜託長老, 『入地眼全書 卷六』, 竹林書局, 中華民國83, p.7.
27) 辜託長老, 『入地眼全書 卷六』, 竹林書局, 中華民國83, p.7. "震納庚亥未初三四之月
    一陽下二陰上象震卦戌時在庚"
28) 辜託長老, 『入地眼全書 卷六』, 竹林書局, 中華民國83, p.7. "兌納丁巳丑初八九之月
    二陽下一陰上象兌卦 戌時在丁"
29) 李奇穆, 『風水地理理氣法』, 溫古堂, 1990, pp.480-481.

하지 않는 至尊의 卦로 달에 햇빛을 베풀어 앞에 六卦(乾坤艮巽震兌)의 운을 변화시킨다. 中爻는 陰에 속하기 때문에 己土를 받아들이나 나경에는 己土가 없다. 後天 正南에 乾이 자리하고 있어 乾이 納하여 外卦가 완성 된다. 天干 壬水는 離에 納이 된다. 坎(☵)은 癸申辰을 納하고 水"30)에 속한다. "坎은 太陰으로 달의 본체가 되며 前半의 달은 消한다. 震兌乾 三卦는 無로부터 생겨나 形이 있게 되고 後半의 달은 소멸하여 보이지 않는다.

巽艮坤 三卦는 形이 없어져 無形이 되는 것은 모두 坎이 그렇게 한 것이다. 中爻는 陽이기 때문에 戊를 納하나 나경에는 戊土의 자리가 없다. 後天에는 正北 坤의 자리에 있어 坤이 納하여 外卦가 완성된다. 天干 癸水는 坎에 納된다."31)라고 하였다. 上記의 [그림 8]과 같다.

淨陰淨陽法은 납갑의 원리로 天上에 있는 달의 변화를 易象으로 나타내어 달의 모양을 나경 24산에 위치하여 찾고, "정음정양은 24산의 第一 작용으로 그 원리는 선천 팔괘를 따라서 洛書 구궁의 숫자를 따라 나온 것을 배합한 것"32)을 주역 팔괘에 배당해서 작성된 이론이다.
葉久升은 『地理大成羅經指南撥霧集』「淨陰淨陽」에서 다음과 같이 논하고 있다.

乾南은 洛書의 九를 얻고, 坤北은 洛書의 一을 얻고, 離東은 洛書의 三을 얻고, 坎西는 洛書의 七을 얻는데 그 數는 기수(奇數)인 까닭으로 四卦가 모두 陽이 되어서 納甲의 干支가 되는 바이고, 그것을 따라서 陽이 되는 것이다. 艮의 서북은 洛書의 六을 얻고, 震의 동북은 洛書의 八을 얻고, 兌의 동남은 洛書의 四를 얻고, 巽의 서남은 洛書의 二를 얻는데 그 數는 偶數인 까닭으로 四卦가 모두 陰이 되어서 納甲의 干支가 되는 바이다. 또한 그것을 따라서 陰이 되는 것이다33)

---

30) 辜託長老, 『入地眼全書 卷六』, 竹林書局, 中華民國83, p.7. "離納壬戌寅 屬火 離爲太陽 無消無滅 至尊之卦 施光於月以變運前六卦者 中爻屬陰 故納己 羅經無己土位後天居正南乾卦位逐以乾所納之外卦 天干壬水納於離 坎納癸申辰 屬水"

31) 辜託長老, 『入地眼全書 卷六』, 竹林書局, 中華民國83, p.7. "坎爲太陰 爲月本體 前半月消震兌乾三卦 自無生而爲有 後半月滅巽艮坤卦自有消而爲無 皆坎爲之也 中爻屬陽故納戊 羅經無戊土位後天居正北坤位 逐以所納之外卦 天干癸水納於坎"

32) 葉久升, 『地理大成羅經指南撥霧集』「淨陰淨陽」, 大淸康熙32, p.9. "淨陰淨陽者二十四山之第一作用也 其原從先天八卦配洛書九宮之數而出"

河圖와 洛書의 奇數와 偶數로 음양을 가린 淨陰淨陽으로 九星配卦 및 納水와 消水之法에 이용하여 길흉을 진단한다. 정음정양에는 四陽卦와 四陰卦가 있다. 葉久升은 『地理大成理氣四訣』「淨陰淨陽」에서 다음과 같이 논하고 있다.

四陽卦는 乾卦, 坤卦, 離卦, 坎卦가 있는데 이러한 四陽卦는 洛書의 四正卦가 되고, 방위로는 동서남북 四正方에 위치하여 배포하게 된다. 四陰卦는 巽卦, 艮卦, 震卦, 兌卦가 있는데 이러한 四陰卦는 洛書의 四隅卦에 해당되고, 방위로는 동남, 동북, 서남, 서북의 四隅方에 위치하여 배포하게 된다. 淨陰은 震庚亥未, 兌丁巳丑, 艮丙, 巽辛으로 이러한 12개의 龍入首는 마땅히 이러한 12개의 向을 세워야 하고, 정음으로 다른 것이 섞이면 안 된다. 淨陽은 離壬寅戌, 坎癸申辰, 乾甲, 坤乙로 이러한 12개의 龍入首는 마땅히 이러한 12개의 向을 세워야 하고, 淨陽으로 다른 것이 섞이면 안 된다.[34]

重天乾卦: 乾金, 六			
▬	壬戌	世	父
▬	壬申		兄
▬	壬午		官
▬	甲辰	應	父
▬	甲寅		財
▬	甲子		孫

[표 2] 戌乾亥 入首의 팔요살과 팔요수[35]

---

33) 葉久升, 『地理大成羅經指南撥霧集』「淨陰淨陽」, 大淸康熙32, p.9. "乾南得書之九 坤北得書之一 離東得書之三 坎西得書之七 其數奇故四卦位陽而所納之干支 亦從之爲陽也. 艮西北得書之六 震東北得書之八 兌東南得書之四 巽西南得書之二 其數偶故四卦爲陰而所納之干支亦從之爲陰也"

34) 葉久升, 『地理大成理氣四訣』「淨陰淨陽」, 大正書局出版, 2000, pp.10-11. "四陽卦: 乾卦 坤卦、離卦、坎卦、此四卦爲洛書四正卦,方位佈於東、西、南、北四正位。四陰卦: 巽卦、艮卦、震卦、兌卦、此四卦爲洛書四隅卦,方位佈於東南、東北、西南、西北四隅位 淨陰: 震庚亥未 兌丁巳丑 艮丙 巽辛 此一十二龍入首,當立此一十二向,爲淨陰不雜 淨陽: 離壬寅戌 坎癸申辰 乾甲 坤乙. 此一十二龍入首,當立此一十二向,爲淨陽不雜"

35) 朴永仁, 『奇門風水地理學』, 글로리아북, 2015, p.122.

용상팔살과 팔요수를 구하는 방법은 다음과 같다. 乾卦는 팔괘오행으로 金이고, 이 金을 기준으로 육친을 붙인다. 나를 생해 주면 인수(父), 내가 생해 주면 식신·상관(孫), 나와 오행이 같으면 비견·겁재(兄), 내가 극하면 정재와 편재(財), 나를 극하면 편관과 정관(官)이 된다. 나경 1층에서 말하는 八煞黃泉은 혼천갑자의 관귀효가 팔요살이 된다. 乾卦의 혼천갑자는 아래와 같다.

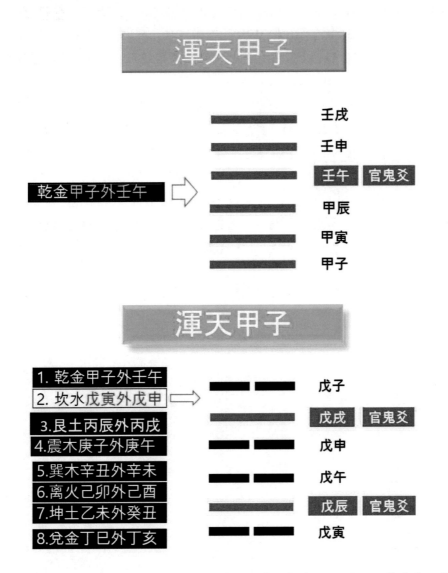

戌乾亥 入首면 "날을 가리고, 조명을 할 때 年月日時를 택일하는데 기

피"[36]한다. "乾山에 壬午生이 들어가면 안 되고"[37], "乾龍에 午向을 하면 기피하고"[38], "乾龍에 午方에서 물이 들어오면"[39] 八曜水에 해당한다. "이 살은 모든 살의 우두머리가 되는 것으로 집을 짓거나, 묘를 쓰는데 가장 기피 하는"[40] 것으로 風水地理家는 양택과 음택을 戌乾亥坐를 조성함에 있어서 午向, 午日, 午生, 午方水를 매우 주의 깊게 살펴야 한다. 龍入首를 기준으로 向을 놓을 때 용상팔살을 분별하여야 한다. 좌를 기준으로 보면 팔요수가 되나 向를 기준으로 팔요수에 해당하는 물을 보면 팔요수가 되지 않고 오히려 집안에 길한 일이 생기는 경우를 볼 때 혈장 주변의 함몰과 葬口, 물의 得, 破, 合水處를 정음정양으로 합법한지 자세하게 측정하여야 한다.

장현구는 「建築物의 配置計劃에 있어서 風水理論의 適用에 관한 研究(理氣風水論을 中心으로)」에서 "용상팔살은 최대의 재앙으로 자연이 악인을 위해 흉한 함정을 마련해 놓은 것이다. 묘지나 주택의 마당에 한 포기의 풀도 자라지 않는다. 나경 4층의 기준으로 來龍이 壬子癸 방위에서 왔을 묘지나 주택의 向을 辰向인 경우 戌坐辰向을 놓으면 龍上八殺에 걸린다."[41]라고 말을 하였는데 물론 용살팔살에 걸린 것은 맞으나 과연 최대의 재앙이 발생할 것인지는 음택지나 양택지 주변의 만두 형세를 따져보면 알 수 있다.

---

36) 王道亨, 『羅經透解』, 瑞成書局, 2016, p.19. "至於選日造命 則在年月日時忌用"
37) 王道亨, 『羅經透解』, 瑞成書局, 2016, p.19. "乾山忌壬午"
38) 王道亨, 『羅經透解』, 瑞成書局, 2016, p.18. "乾龍忌午向"
39) 王道亨, 『羅經透解』, 瑞成書局, 2016, p.19. "乾龍午水來"
40) 王道亨, 『羅經透解』, 瑞成書局, 2016, p.19. "此殺爲諸惡之首, 造葬最忌"
41) 장현구, 「건축물의 배치계획에 있어서 풍수 이론의 적용에 관한 연구(이기 풍수를 중심으로)」, 동국대 석사논문, 2007, p.57.

3장　龍上八殺과　八曜水의　實戰硏究

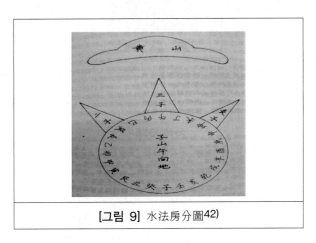

[그림 9] 水法房分圖[42]

壬坐丙向에 辰方이 함몰된 경우 팔요수인데 向을 기준으로 보성수법을 적용하면 丙向은 납갑으로 艮卦이다. 艮卦(☶)를 기준으로 보성수법을 적용하면 初期 輔弼星은 艮卦 자체가 기준괘가 되고, 艮卦의 中爻가 변하여 巽卦인 武曲이 되고, 巽卦의 下爻가 변하여 乾卦인 破軍이되고, 乾卦의 中爻가 변하여 離卦인 廉貞이 되고, 離卦의 上爻가 변하여 震卦인 貪狼이 되고, 震卦의 中爻가 변하여 兌卦인 巨門이 되고, 兌卦의 下爻가 변하여 坎卦인 祿存이 되고, 坎卦의 中爻가 변하여 坤卦인 文曲으로 짚어 나간다. 辰方에 祿存水가 떨어지는데 『지리사탄자』에서 "승도가 나오고, 심성이 완고하면서 어리석고, 미친 듯이 망령되게 행동하고, 조상과 떨어져서 혼자 지내고, 절사, 퇴패하고, 남자는 홀아비가 되고, 여자는 과부가 되며, 음난하고, 아기 낳다 죽고, 목매달아 죽고, 형체가 이지러지고, 사람을 해칠 것 같은 등의 일이 발생한다."[43]라고 하였는데 좌측 [그림 9]의 水法房分法에 따라 결과가 발생한다.

---

42) 辜託長老, 『入地眼全書 卷八』, 竹林書局, 中華民國83, p.4.
43) 劉伯溫, 『地理四彈子』, 大山書店總經銷, 中華民國90, p.68. "祿存星在人爲僧道, 爲心性頑鈍, 行事狂妄, 離祖過房, 絶嗣退敗, 男鰥女寡, 淫亂, 産死, 縊亡, 主形體虧殘之人"

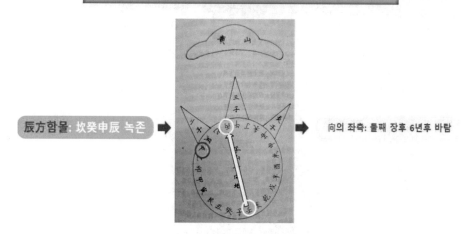

"水法 房分은 穴前에 서서 측정한 방위를 기준으로 한다. 長子는 右手
에 있고, 二子는 左手에 있으며, 三子는 向前에 있다"[44]라고 하였는데
壬坐丙向에 辰方의 함몰은 向의 左側에 있어 둘째 아들이 葬後 6년 만
에 바람을 피워 이혼하였고, 그 후 다른 곳으로 이장한 뒤 다시 合家하
여 잘살고 있다. 이것으로 보았을 때 팔요수 때문에 이혼한 것이 아니라
淨陰淨陽의 破局 祿存水 때문에 그러한 결과가 발생한 것으로 보인다.

---

44) 辜託長老, 『入地眼全書 卷八』, 竹林書局, 中華民國83, p.4. "水法房分立於穴前格之
方準 長子在右手 二子在左手 三子在向前"

팔요수의 黃石公 보성수법 연구 1

壬坐丙向 · 辰方 함몰 ⇨ 丙向 기준 보성수법 ⇨ 丙 納甲 = 艮卦: 淨陰

⇨ 艮卦 기준괘 ⇨ 艮卦 보필 ⇨ 巽卦 무곡 ⇨ 乾卦 파군 ⇨ 離卦 염정

⇨ 震卦 탐랑 ⇨ 兌卦 거문 ⇨ 坎卦 녹존 ⇨ 坤卦 문곡
⇩
辰方: 坎癸申辰 녹존

승도 出, 심성이 완고하고 어리석고, 미친 듯 망령되게 행동, 조상과 떨어져 지내고, 절사, 퇴패, 남자는 홀아비, 여자는 과부, 음난, 아기 낳다 사망, 목매달아 사망, 형체 이지러지고, 사람 해침 발생

子坐午向일 때에도 과연 그러한 결과가 발생할 것인지 생각해 봐야 한다. 壬坐丙向인 경우와 같이 자살을 시도하거나 이혼하거나 하지 않는다.

이낙연 전 국무총리 모친 묘 사례

午向

辰得 ----→ 거문수 ----→ 申破

子坐

왜냐하면 子坐午向의 午는 납갑이 離壬寅戌이므로 離卦를 기본괘로 하여 정음정양의 보성수법을 짚어보면 다음과 같다. 辰方의 물은 輔武破廉貪巨祿文 중 巨門水에 해당하여 『지리사탄자』에 의하면 "사람이 충성이 깊고, 장수하고, 신동이 출생하고, 군자는 국가기관에 나아가고, 소인은 재물이 쌓고, 의식이 풍족하고, 창고에 가득하게 곡식이 늘어나고, 주로 재물이 많이 늘어난다."[45]라고 하여 불미스러운 일이 발생하지 않는다. 그 이유는 向인 午와 辰方의 함몰된 물이 淨陽의 合局인 巨門水가 되기 때문이다. 이낙연 전 국무총리는 조모묘로 인해서 국회의원, 도지사, 국무총리까지 되었다고 생각된다. 거문수가 되는 팔요수의 황석공의 보성수법은 아래와 같다.

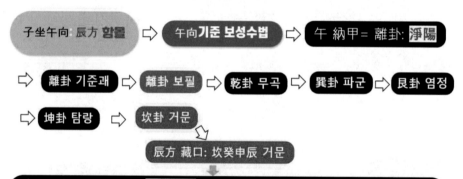

癸坐丁向일 때에는 辰方의 물은 어떠한 결과가 발생할 것인지 생각해 봐야 한다. 묘지나 주택을 지어 보면 丁向의 丁은 납갑으로 兌丁巳丑이므로 兌卦를 기본괘로 하여 정음정양의 보성수법을 짚어보면 辰方의 물은 輔武破廉貪巨祿文 중 廉貞星이 된다. 『지리연탄자』에 의하면 "가장 미치광이로 어그러지고, 고집스럽게 속이고, 거스리고 또한 이그러지고, 호랑이에게 물려가고, 겁탈 약탈하고, 우레를 맞아 실화하고, 재물이 퇴

---

45) 劉伯溫, 『地理四彈子』, 大山書店總經鎖, 中華民國90, p.68. "生人忠厚長壽 出神童, 君子進官, 小人進財, 衣食豊足 倉庫滿盈 主發財富"

보하고, 염병과 황달이 걸린다."[46]라고 하였다.

이것은 向인 丁은 淨陰이고, 辰方의 함몰된 물은 淨陽이 되어 陰陽破局
인 廉貞水가 되어 상기와 같은 결과가 발생한다고 본 논자는 본다. 葬
口는 『地理大成山法全書 下』에서 다음과 같이 논하고 있다.

> 毡簷下에 약간 옴팍한 것이 있는데 원래 이렇게 되어야 바른 것이고,
> 이것은 천연적으로 생겨야 올바른 혈이 되며, 그 중앙을 따라서 지팡
> 이를 꽂으면 어찌 어긋날 수가 있겠는가![47]

葬口는 혈장에서 모인 물이 혈장을 빠져나가는 小明堂 出口處를 말하는
데 葬後 30년을 좌우하는 아주 중요한 곳이다. 巽坐乾向에 亥葬口일
때 葬後 3년만에 둘째가 사망했다. 水法房分法에 의하면 원래는 셋째가
사망해야 맞으나 셋째가 없으니 둘째가 禍를 당한다. 좌측의 [그림 10]
과 같다.

[그림 10] 巽坐乾向의 亥 葬口圖[48]

위의 예를 황석공의 보성수법으로 계산하면 다음과 같다는 것을 알 수

---

46) 嚴陵 張久儀, 『地理鉛彈子』, 大山書店總經鎖, 中華民國83, p.28. "最狂戾 執拗欺詐
逆且悖 虎咬刦掠 成雷傷失火 退財瘟瘴累"
47) 葉九升 著, 『地理大成山法全書 下』, 武陵出版有限公司, 2001, p.150. "毡簷之下略
生窩 葬口原來正是也 此是天然眞正穴 就中倒杖豈差訛"
48)전북 남원시

있을 것이다.

葬口의 보성수법 연구

巽坐乾向. 亥 葬口 ⇨ 乾向 기준 보성수법 ⇨ 乾納甲= 乾卦: 淨陽

⇨ 乾卦 기준괘 ⇨ 乾卦 보필 ⇨ 離卦 무곡 ⇨ 艮卦 파군 ⇨ 巽卦 염정

⇨ 坎卦 탐랑 ⇨ 坤卦 거문 ⇨ 震卦 녹존

亥方 葬口: 陰陽破局에 震庚亥未 祿存

水法房分法: 3째가 사망(원칙). 3째가 없어 2째 葬後 3년만에 사망

　壬坐丙向, 子坐午向, 癸坐丁向등 3개의 좌향에 따라 辰方의 葬口의 물이 陰陽破局이면 八曜水가 되고, 陰陽合局이면 八曜水가 되지 않는다. 고탁장로는 『입지안전서』에서 "또 말하길 坎龍은 辰·戌水를 기피하지 아니하며, 乾龍은 午水를 두려워하지 아니한다."[49]라고 하였다. 이것은 팔요수가 모두 되는 것이 아니라 向과 來去水가 陰陽純靑하면 팔요수가 아니라는 증거로 본 논자는 본다. 나머지 팔요수 有無에 대해서도 유추할 수 있다. 음양 박잡에 걸리면 필히 후손들이 주역 河圖 生成數인 "三·八은 木, 二·七은 火, 四·九는 金, 五·十은 土"[50]에 따른 길흉이 발생하게 된다고 본 논자는 생각한다.

來水, 去水, 合水處, 葬口의 물은 9층 나경에서 8층 천반봉침 24산으로 측정하는데 음택이나 양택에는 반드시 來水나 去水하게 되는데 葬口보다는 발응이 늦으나 그 응험은 반드시 나타난다.
八殺黃泉에 해당하면 『羅經透解』「八殺黃泉」에서 "날을 가리거나 조명

---

49) 辜託長老, 『入地眼全書 卷六』「渾天甲子」, 竹林書局, 中華民國83, p.9. "又云坎龍不忌辰戌水 乾龍不畏午水"
50) 大山 金碩鎭, 『大山周易講解 上經』, 대유학당, 2000, p.41.

할 때는 연월일시를 사용함에 있어 기피 해야 한다."51)고 하였다.

김동규는 『地理羅經透解』에서 "坎山이나 命에서 戊辰, 戊戌을 忌하고, 坤山에서 乙卯를 忌하고, 震山命에서는 庚申을 忌하고, 巽山에서는 辛酉를 忌하고, 乾山에서는 壬午를 忌하고, 兌山命에서는 丁巳를 忌하고, 艮山에서는 丙寅을 忌하고, 離山命에서는 己亥를 忌한다."52)라고 하였다

상기의 壬午, 戊辰, 戊戌, 丁巳, 乙卯, 己亥, 辛酉, 庚申, 丙寅 등 60갑자는 "모두 선천팔괘에 매여 있는 혼천오행의 관귀효"53)에 해당하기 때문이다. 9층 나경의 1층은 음택, 양택 坐向을 놓을 때 조심해야 하는데 六爻重卦의 오행을 극하는 官殺에 해당하는 向은 놓을 수 없다.

重水坎卦: 坎水, 六54)			
--	戊子	世	兄
—	戊戌		官
--	戊申		父
--	戊午	應	財
—	戊辰		官
--	戊寅		孫

[표 3] 壬子癸 入首의 팔요살과 팔요수

중수감괘가 관살이 되는 경우는 左記와 같다.

「重水坎卦, 坎水, 六」은 주역 64괘로써 괘 오행이 水이고, 六爻에서 世爻가 6爻(上爻)에 있다는 것을 의미한다. 중수감괘의 팔괘 오행인 水를 剋하는 육효 중에서 九二爻에 있는 戊辰의 辰土가 坎水를 土剋水하여 관귀효이고, 九五爻에 있는 戊戌의 戌土가 坎水를 土剋水하여 관귀효에 해당하여 八殺黃泉은 戊辰, 戊戌이 된다.

이는 "세상 사람들이 그 법을 사용함에 있어 팔살황천이라 부르면서 모두 두려워하고 꺼리고 있지만, 사실은 九殺黃泉이 있다는 것을 알지 못하고 있다."55) 라고 하였다. 九殺黃泉이 되는 이유는 팔괘 중에 坎卦의

---

51) 王道亨, 『羅經透解』 「八殺黃泉」, 瑞成書局, 2016, p.19. "至於選日造命 則在年月日時忌用"
52) 金東奎 譯, 『地理羅經透解』, 명문당, 1994, p.41.
53) 王道亨, 『羅經透解』, 瑞成書局, 2016, p.18. "此係先天八卦, 渾天五行之官鬼爻也"
54) 朴永仁, 『奇門風水地理學』, 글로리아북, 2015, p.122.

팔살황천 때문이다. "坎龍으로 래용이 행도할 때 辰, 戌方에서 물이 들어오면 그 殺은 2개가 있다. 龍으로 인해 물이 변하는데 물에 의지해서 立向을 하고, 혹시 殺이 변해서 官이 되어 모두 大貴之地가 된다. 만약에 이를 알지 아니하면 위태로운 것이다."[56]라고 하는데 실전에서 辰, 戌方에서 물이 들어오면 과연 九殺黃泉을 범해서 흉한 일이 일어날 것인가에 의문을 가졌었다. 壬子癸인 坎入首龍 일 때에도 向을 무엇을 놓느냐에 따라서 결과는 천양지차로 나타나게 됨을 임상을 통해서 그 결과를 알게 되었다.

壬入首龍에 壬坐丙向을 놓았을 때 辰方의 葬口가 祿存水일 때는 앞의 水法房分圖와 같이 辰 葬口가 向의 좌측에 있어 둘째 아들에게 흉함이 발생한다. 이것은 보성수법으로 보는 것인데, 向의 納甲을 기준으로 輔→武→破→廉→貪→巨→祿→文의 순서대로 팔괘를 측정해 나간다.

丙向이면 납갑이 艮卦(艮納丙)이다. 艮卦를 기준으로 처음 輔弼은 그대로 있고, 中爻가 변하면 武曲인 巽卦가 되고, 巽卦의 下爻가 변하면 破軍 乾卦가 되고, 乾卦의 中爻가 변하면 廉貞 離卦가 되고, 離卦의 上爻가 변하면 貪狼 震卦가 되고, 震卦의 中爻가 변하면 巨門 兌卦가 되고, 兌卦 下爻가 변하면 祿存 坎卦가 되고, 坎卦의 中爻가 변하면 文曲 坤卦가 된다.

보성수법의 팔괘는 아래의 손가락 모양과 같다.

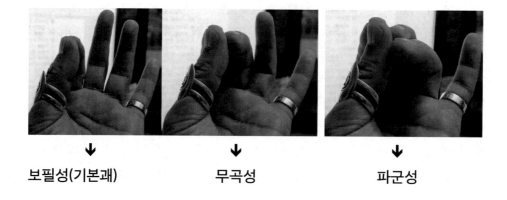

↓	↓	↓
보필성(기본괘)	무곡성	파군성

---

55) 王道亨, 『羅經透解』, 瑞成書局, 2016, p.19. "世人用法呼爲八殺黃泉, 皆畏忌之, 殊不知實有九殺"

56) 王道亨, 『羅經透解』, 瑞成書局, 2016, p.19. "如坎龍辰戌水來, 其殺有二, 因龍變水, 依水立向, 倘變煞爲官, 皆爲大貴之地, 若不知此, 則危矣"

26 9층 나경의 팔요수와 황천살 허실 연구

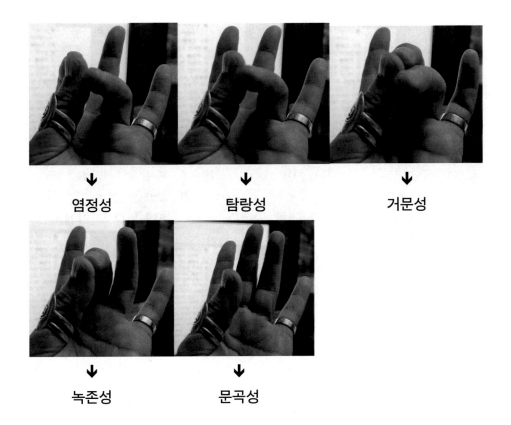

| 염정성 | 탐랑성 | 거문성 |

| 녹존성 | 문곡성 |

丙向(艮卦)에 辰方이 함몰되어 물이 흐르면 九殺黃泉이 되고, 보성수법으로 상기와 같이 측정해보면 녹존의 坎卦가 되니 "주로 승도, 심성이 완둔하고, 행하는 일이 광망하게 하고, 조상을 떠나서 과방하고, 절사, 퇴패하고, 남자는 홀아비가 되고, 여자는 과부가 되며, 음란하고, 아기 낳다가 사망하고, 가장 많은 것은 사람의 형체가 이지러지고, 해치는 사람이 나온다"[57]고 되어 있는데 이와 같이 되었다.

壬子癸 입수룡인데 "子坐午向에 申得, 辰破로 놓았다고 하면, 坎爲水, 離爲火, 水上火下 하므로 水火旣濟가 되어 좌우 申辰二水가 보필하니 坐의 子와 向의 午가 둘이 서로 마땅히 연주 삼합이 되니 형제 모두 인재가 크게 왕하고, 과거급제하는 사람이 많게 되고, 官이 맑고, 바른 福과 壽를 누리게 된다."[58]라고 하였는데 上記의 결과는 정음정양의 음양

---

57) 嚴陵 張久儀 著,『地理鉛彈子』, 大山書店, 中華民國83, p.29. "主僧道, 心性頑鈍, 行事狂妄, 離祖過房, 絶嗣, 退敗, 男鰥, 女寡, 淫亂, 産死, 縊亡, 形體虧殘"
58) 辜託長老著,『入地眼全書 卷九』, 竹林書局, 中華民國83, p.4. "子坐午向, 坎爲水, 離爲火,水上火下, 故水火旣濟, 左右申辰二水輔之, 坐子向午, 兩相宜聯珠三合, 兄弟齊人

박잡을 위반해서 그러한 결과가 발생했다. 이는 정음정양으로 음양순청하여 그러한 결과가 발생하지 않는다.

『羅經透解』에서는 九殺黃泉을 논하고 있지만 사실은 九殺黃泉을 뛰어넘은 실전 풍수에서는 종합적인 천성 이기법을 고려해야 하기 때문에 辜託長老의 『入地眼全書』에서는 물을 논할 때 "부귀빈천은 水神에 있다."59)라고 하였고, 정음정양을 적용할 때 "황석공은 본래 팔괘로써 水法을 모두 의지하는데 후천 방위를 위주로 하고, 向으로써 정한다."60)라고 하여 向을 기준으로 "이상 24合局과 24破局이 있는데 합국이면 길하고, 파국이면 흉하며, 局이란 向을 말한다."61)라고 하였는데 여기에서 말하는 합국, 파국의 개념은 得, 破 等이 向과 정음정양으로 陰陽純淸 有無를 말한 것이다.

財大旺, 多科甲爲官淸, 正福壽歸"

59) 辜託長老著, 『入地眼全書 卷七』, 竹林書局, 中華民國83, p.3. "富貴貧賤在水神"

60) 辜託長老著, 『入地眼全書 卷八』, 竹林書局, 中華民國83, p.2. "黃石公本以八卦水法總依, 後天方位爲主, 以向爲定"

61) 辜託長老著, 『入地眼全書 卷七』, 竹林書局, 中華民國 83, p.9. "以上二十四合局, 二十四破局, 合局則吉, 破局則凶, 局者向也"

4장

黃泉殺의 虛實 연구 분석

1. 9층 나경에서 2층 황천살의 허실 실전 연구

만두 형세가 완벽하게 구비되고, 혈이 되는 조건에 合德하면 穴이라 말한다. 그러면 혈장 주변의 四勢를 분석하고, 물이 들어오고, 머물고, 나가는 것과 葬口 등을 고려하여 혈좌를 정하게 된다.

만두형세의 혈좌를 기준으로 左右가 陷하게 되면 바람을 받게 되는데 이것을 황천풍이라고 한다. 유종근, 최영주는 『한국풍수원리』에서 "坐를 기준으로 황천방위에 山이 凹陷하면 묘지의 지하에 바람이 닿는다고 판단한다."[62]라고 하였고, 장현구는 「건축물의 배치계획에 있어서 풍수 이론의 적용에 관한 연구(이기 풍수를 중심으로)」에서 "墓에 침입하는 바람인 八曜風의 방위를 측정하는 칸이다."[63]라고 하였으며, 『天機大要』에서는 "가는 것을 忌하고, 오는 것은 忌하지 않는다고"[64]라고 하였는데 이는 "左水到右할 때 左側은 陽水來하고, 右側은 陰水去할때 陽向으로 立向을 하면 二房은 발복하나 長房은 가난해지고, 陰向으로 立向을 하면 長房은 발복하나 二房은 가난하게 된다."[65]라고 하는 것을 봤을 때 來去水 모두 조심하는 것이 좋다. 坐를 기준으로 乾坐를 놓았다면 나경 2층에 辛, 壬이 황천풍이라고 한다.

乾坐의 백호 辛方과 청룡 壬方의 산자락이 陷하면 혈을 온전히 구성하는 조건에 영향을 주는 바람이 들어온다면 風吹氣散되어 정기가 흩어지게 된다. 나경 2층에는 四路 黃泉이라고 하여 四維인 乾, 坤, 艮, 巽에 규정하고 있고, 八 天干을 八路 黃泉이라고 하여 甲, 乙, 丙, 丁, 庚, 辛, 壬, 癸를 규정하고 있다. 혈좌의 좌우가 함몰되어 있어 청룡, 백호방 밖

62) 유종근. 최영주 공저, 『한국 풍수의 원리 1』, 동학사, 1997, p.78.
63) 장현구, 「건축물의 배치계획에 있어서 풍수이론의 적용에 관한 연구(이기 풍수를 중심으로)」, 동국대 석사논문, 2007, p.59.
64) 成汝杶, 『原本 天機大要』, 大地文化社, 1991, p.18. "忌去不忌來"
65) 辜託長老著, 『入地眼全書 卷八』, 竹林書局, 中華民國 83, p.5. "左水到右 左是陽水來 右是陰水去 立了陽向 二房發 長房貧 立了陰向 長房發 二房貧"

의 들판이나 물이 보이면 一水二見으로 월견수라 한다. 월견수가 보이면 淨陰淨陽의 合局과 破局으로 길흉관계가 발생한다.

乾坐巽向이라면 巽向은 淨陰淨陽 이론으로 설명하면 淨陰에 해당한다. 辛과 壬 방위에 물이 보이는 경우

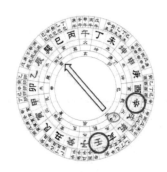

2층 황천풍=坐기준

① 乾坐巽向: 辛, 壬 함몰

② 風吹氣散: 精氣 흩어짐

보성 수법을 적용하면 辛은 淨陰이고, 壬은 淨陽이다. 음양이 순청하면 合局이 되어 길하고, 음양이 박잡하면 破局이 되어 흉하게 된다. 辛은 輔弼水가 되는데 『지리사탄자』에 이르길 "자상하고 효도하고, 형제간에 우애하고, 세대 간에 관록이 번성하고, 남자는 부마가 될 수 있고, 여자는 황후가 될 명이다."[66]라고 한다. 壬은 破軍水가 되는데 『지리사탄자』에 이르길 "사람에 있어서 흉폭한 군에 가담하게 되고, 겁탈하고, 노략질하며 소송을 좋아하고, 벙어리와 귀머거리로 몸이 이지러지고, 주로 소년이 망하고 절명한다."[67]라고 판단하게 되는데 壬方의 월견수는 대단히 조심해야 하고, 造林을 해서 裨補를 해야 한다. 될 수 있으면 이런 곳에 묘지를 조성하거나 주택을 조성해서는 안 된다.

---

66) 劉伯溫, 『地理四彈子』, 大山書店總經鎭, 中華民國90, p.68. "生人慈祥孝友 世代祿榮 爲官貴 男爲駙馬 女作宮妃命婦"

67) 劉伯溫, 『地理四彈子』, 大山書店總經鎭, 中華民國90, p.68. "在人爲凶暴投軍 刦掠好訟 啞聾癃體 主少亡絶"

그 외 월견수는 壬坐면 乾方의 월견수, 癸坐면 艮方의 월견수, 艮坐면 癸, 甲方의 월견수, 甲坐면 艮方의 월견수, 乙坐면 巽方의 월견수, 巽坐면 乙, 丙方의 월견수, 丙坐면 巽方의 월견수, 丁坐면 坤方의 월견수, 坤坐면 丁方, 庚方의 월견수, 庚坐면 坤方의 월견수, 辛坐면 乾方의 월견수가 동일한 원칙을 적용하여 길흉을 판단한다.

2. 향을 기준한 황천수의 설

황천수가 되는 원리는 『천기대요』에 "丁, 庚向에 坤方水를 忌하고, 坤向에 丁, 庚方水를 忌하고, 乙, 丙向에 巽方水를 忌하고, 巽向에 乙, 丙方水를 忌한다. 소위 이것을 사로팔로 반복황천이라고 한다. 宅이나 墓에 이 방향으로 물의 放水는 절대로 해서는 안 된다. 또한 팔살황천은 비록 나쁜 惡曜라고 하나 만약 生方에 있으면 前述한 바와 같이 판단하기가 어렵다"[68]라고 하였다.

甲, 癸向에 艮方水가 황천이고, 艮向에 甲, 癸方水, 辛, 壬向에 乾方水, 乾向에 辛, 壬方水가 四路黃泉인데 向으로 水의 來去를 보는 것이다.

『나경투해』에서는 다음과 같이 설명하고 있다.

---

68) 成汝枕, 『原本 天機大要』, 大地文化社, 1991, p.18. "如庚丁向忌坤水 坤向忌庚丁水
乙丙向忌巽水 巽向忌乙丙 所謂四路八路反覆黃泉 切勿犯宅墓放水同 八路黃泉雖云
惡曜若在生方例難同斷"

이러한 殺은 다만 向上으로서 來水와 開門 放水를 꺼린다. 더욱 꺼린 것은 坐山으로 일으켜 장생을 쓰고, 墓絶方에 이르러 그 위로 消放됨을 말한 것이다. 예를 들어 甲山庚向이라면 甲木의 장생이 亥이고, 墓는 未이다. 絶方은 坤方이 되는 것이 이것이다. 나머지도 이와같이 유추한다. 이는 向上을 坐山으로 논하는 것인데 庚向은 甲坐山이고, 丁向은 癸坐山인데 이는 金羊收癸甲之靈이다. 이것은 坤未水로 마땅히 去해야 하고, 朝來하면 마땅하지 못한 것이다. 간혹 穴前으로 朝入하면 黃泉大殺이 되어 주로 젊은 사람이 망하고, 과부가 나온다. 전적으로 坐山을 위주로 하고, 龍의 左旋과 右旋을 논하는 것이 아니다."69)

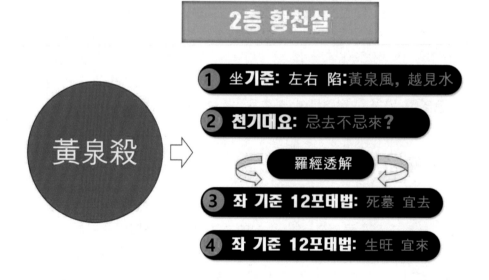

이는 向의 대충방은 항상 坐가 되기 때문에 좌를 기준으로 십이운성을 붙이기 때문이다. 聖人이 말하길 "生旺墓 弔合으로 孟仲季로 나누는 바이니, 生旺二方으로 들어오는 것은 좋고, 墓庫方으로 나가는 것이 좋다. 마땅히 來해야 할 것이 오히려 去한다면 이것이 生養水면 孟房이 敗하

69) 王道亨,『羅經透解』, 瑞成書局, 2016, p.21. "此煞只忌向上來水開門放水 尤忌以坐山起例, 用長生掌 數至絶墓方上消放是也 如甲山庚向 甲木長生亥墓未. 絶在坤方是也餘山倣此 此借向上以論坐山. 庚向則坐甲山. 丁向則坐癸山. 乃金羊收癸甲之靈. 是坤未之水。宜去而不宜朝. 倘朝入穴前. 即黃泉大煞主少亡孤寡專以坐山爲主。不論龍左旋右旋。"

고, 帝旺水가 去하면 仲房이 敗한다. 마땅히 去해야 할 것이 오히려 來하면 이것이 死, 絶, 墓라면 季房이 敗한다. 이러한 一局을 정한 바이니, 나머지 3국도 동일하게 추리하라."[70]고 하였는데 논자가 보기에는 문제가 있다. 淨陰淨陽의 陰陽合局과 破局에 따라 다르니 일률적으로 말할 수 없다. 왜냐하면 보성수법으로 보면 庚向인 경우에 生方인 巽은 巨門水, 巳는 武曲水로 水來하니 吉하나, 未, 坤方으로 水去되면 未方은 輔弼水로 吉하나, 坤方은 廉貞水가 되어 凶하기 때문이다.

前述한 바와 같이 『나경투해』와 『천기대요』에서 황천수가 된다고 말하고 있다. 옥룡자 『경세록』에 의하면 당나라 吏部尙書를 지낸 一行先師가 "새로운 雜五行을 많이 지어"[71] 풍수지리 이론을 전도시켰다고 말한다. 『국사무학정음정양논』에 의하면 "또한 당의 스승 一行이 전도오행(顚倒五行)이라는 것이 외국에 와전되어 禍福을 어지럽게 하였다"[72]라는 구절로 봤을 때 「滅蠻經」일 가능성이 매우 크다고 생각한다.

3. 『입지안전서』를 통한 황천살의 유무 사례

陳希夷 선생의 보성수법에 의하면 9층 나경의 2층에 기록된 황천살이 항상 될 것인가를 심도 있게 깊이 연구하여야 한다. 『入地眼全書』「四眞三法」에서 "陳希夷 선생은 하락이수를 지어서 命을 추리하고, 인간의 일생동안 부귀빈천과 壽夭窮通을 알았고, 또한 輔星水法을 만들었으며"[73], "黃石公은 飜卦掌訣"[74]을 지어서 三吉六秀의 방위를 정하였고, "황석공은 본래 팔괘수법을 모두 후천방위를 의거하여 向을 정하였는데 번쾌장결을 이용하여 정음정양을 취하고 向上에서 서로 배치하였다.

淨陰은 震巽艮兌 四陰卦이고 立向에 이 震巽艮兌 四陰卦를 사용하고, 淨陽은 乾坤坎離가 四陽卦이고 立向 또한 乾坤坎離 四陽卦를 사용하는

---

70) 王道亨, 『羅經透解』, 瑞成書局, 2016, p.21. "聖人云生旺墓弔合而孟仲季攸分 言生旺二方宜來 墓庫方宜去 若當來反去 是生養水則孟房敗 帝旺水去則仲房敗 如當去反來 是死墓來也 則季房敗定此一局 餘三局同推"

71) 玉龍子 著, 『警世錄』, 출판사, 출판년대미상, p.6. "一行 新造雜五行"

72) 정관도 해설, 『무학대사 지리전도서』, 知訊堂, 2002, p.84. "且唐師一行 顚倒五行擾外國訛傳以亂禍福"

73) 辜託長老著, 『入地眼全書 卷三』「四眞三法」, 竹林書局, 中華民國83, p.6 "陳希夷作河洛理數而推命 定知人生一世 富貴貧賤 壽夭窮通 又作輔星水法"

74) 辜託長老著, 『入地眼全書 卷三』, 竹林書局, 中華民國83, p.6. "黃石公作飜卦掌訣"

것이 바로 이것이다. 水의 來去에 음양이 섞이지 않기를 요하며, 그러면 지극히 선하고, 지극히 아름답게 되고, 모두 掌訣上에서 변화시킨다."[75] 라고 하였다.

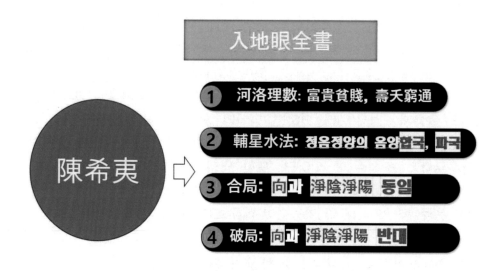

"번괘장결로 얻은 輔武貪巨 四卦上은 吉하고 破祿文廉 上의 四卦는 凶하다. 길성을 만나면 길하다고 판단하고, 흉성을 만나면 흉하다고 추리하라. 八卦水法은 그 방위를 얻어 새로운 괘로 바꾸어 길흉을 아는 것이니 輔星은 字向으로 변별한다. 坐山으로서 聯珠하여 收水하는 이 법은 12지지가 가장 확실하다. 저들이 사용하는 乾甲丁 艮丙辛 巽庚癸 坤壬乙 이들은 모두 혼탁하게 하는 말씀이니 마음을 쓸 필요가 없다. 만약 오늘의 銅函經을 익히는 자들은 칼을 사용하지 않고 사람을 죽이는 자들이니 신중 하도록 하라."[76]고 하여 풍수 학인들에게 경각심을 일깨워 주고 있다. 보성수법은 "輔→武→破→廉→貪→巨→祿→文의 8자를 순서로 한다고 하였다. 巽坐乾向이라면 乾上에서 輔弼을 일으켜 武曲이 離

---

75) 辜託長老著, 『入地眼全書 卷八』, 竹林書局, 中華民國83, p.2. "黃石公 本以八卦水法依後天方位爲主 以向爲定 用飜卦掌訣 取其淨陰淨陽 以向相配 淨陰者 震巽艮兌爲四陰 立向用此四陰卦是也 淨陽者 乾坤坎離爲四陽卦 向亦乾坤坎離四陽卦是也 水之來去要陰陽不駁雜 方爲盡善盡美 總依掌訣上飜",

76) 辜託長老著, 『入地眼全書 卷八』, 竹林書局, 中華民國83, p.2-3. "翻得輔武貪巨四卦上則吉 破祿文廉上四卦則凶 逢吉便以吉斷 逢凶便以凶推 八卦水法 得其方位翻卦知其吉凶 輔星辨其字向 聯珠以其坐山收水此法用十二地支最確 彼用乾甲丁 艮丙辛 巽庚癸 坤壬乙 此俱是混談 不必費心 若習今之銅函經者 殺人不用刀愼之 "

卦, 破軍이 艮卦, 廉貞이 巽卦, 貪狼이 坎卦, 巨門이 坤卦, 祿存이 震卦, 文曲이 兌卦上에 배치되고, 輔武貪巨 四吉水는 乾離坤坎을 불구하고 무슨 向이든지 모두 納甲에 의거하여 계산한다. 甲向이면 乾上에서 輔를 일으키고, 巽向이면 巽上에서 輔를 일으키는데 24山이 모두 이와 같이 추리한다."77)라고 하였다. 나머지 向도 같은 방법으로 보성수법을 판단하면 된다.

보성수법에는 陰陽合局과 破局이 있다. 水의 來去를 向과 비교하여 陰陽이 동일하면 合局이면서 救貧黃泉이 되고, 水의 來去를 向과 비교하여 陰陽이 駁雜이 되면 破局이면서 殺人黃泉이 된다. 『입지안전서』「向依水立」에 말하길 "부귀빈천은 水神에 있고, 水는 山家의 血脈精이다. 山은 靜하고, 水는 動하여 晝夜가 정해지니 水는 재록을 주관하고, 山은 人丁을 주관하며, 立向과 水의 來去를 제대로 알게 되면 길흉화복이 손안에 있을 것이다."78)라고 하여 혈처 주변의 물이 어떻게 들어오고, 머물고, 나가야 하는가에 대한 중요성을 강조한 것이고, 龍穴을 무시해도 된다는 의미는 아니라는 것을 결코 잊어서는 안 된다.

子坐午向에 丙水去일 때 午向을 기준괘로 보성수법을 측정하면 丙方 水去가 廉貞水로 陰陽破局이다. 丙方 水去는 廉貞火로 심장과 연관되어 右旋水는 水法房分法에 의하면 長子가 되므로 長男이 심장마비로 사망하였다. 酉坐卯向에 甲水去일때 卯向과 甲水去가 陰陽破局이다. 卯向을 기준괘로 하여 보성수법을 측정하면 甲方 水去는 祿存水로 水法 房分法에 의하여 向方은 3째가 되므로 3째가 자살한 것을 볼 때 來去水의 陰陽合局과 破局이 후손에게 막대한 영향을 끼치는 것을 알 수 있다. 下記의 [그림 11]과 같다.

---

77) 辜託長老著,『入地眼全書 卷八』, 竹林書局, 中華民國83, p.3. "以輔武破廉貪巨祿文 八字爲序 如巽山乾向 以乾上起輔 武曲離 破軍艮 廉貞巽 貪狼坎 巨門坤 祿存震 文 曲兌 輔武貪巨四吉水在乾離坤坎不拘 何向總依納甲算 若甲向乾上起輔 向巽上起輔 二十四山依此推"
78) 辜託長老著,『入地眼全書 卷七』, 竹林書局, 中華民國83, p.3. "富貴貧賤在水神 水 是山家血脈精 山靜水動 晝夜定 水主財祿 山主人 識得立向水來去 吉凶禍福手中隨"

[그림 11] 경남 함양군	전남 화순군

　고탁장로는 『入地眼全書』에서 "만약에 陽水면 모름지기 陽向을 하고, 陰水면 모름지기 陰向을 세워야 하며, 절대 陰陽破局으로 向을 세우면 안 된다."[79]라고 하면서 "乾水來에 辛向을 하면 불가하고, 辛水來에 乾向을 하면 안 되며 이것이 바로 황천이다."[80]라고 하였다. 乾水來는 淨陽이고, 辛向은 淨陰이다. 向과 水來間의 淨陰淨陽으로 음양 박잡이 되어 황천이 된다는 것을 시사하는 중요한 단서이다.

아래의 [그림 12] 9층 나경과 같이 巽坐乾向을 하게 되면 乾向의 2층을 보면 辛方, 壬方水가 來去하면 모두 황천으로 본다.

---

79) 辜託長老著, 『入地眼全書 卷六』, 竹林書局, 中華民國83, p.11. "若陽水須立陽向 陰水須立陰向切不可使陰陽破局"
80) 辜託長老著, 『入地眼全書 卷六』, 竹林書局, 中華民國83, p.10. "乾水來不可立辛向 辛水來不可立乾向是爲黃泉"

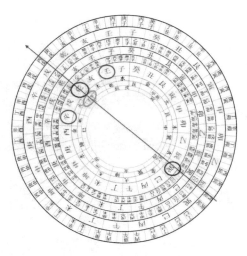

[그림 12] 巽坐乾向의 辛·壬黃泉圖

고탁장로는 『입지안전서』에서 "만약에 壬水來에 乾向을 세우거나, 乾水來에 壬向을 세우면 이것은 황천이 되지 않는 것은 武曲水를 얻어서이고, 주로 貴가 發하게 된다는 것을 사람들이 向上으로 收水하는 것을 모르기 때문이다."[81]라고 하였는데 이는 정음 정양으로 하는 依水立向의 중요성을 일깨우고 있는 것이다. "가장 기쁘고 좋은 것은 淨陰 淨陽으로 陽水來하면 陽向을 하고, 陰水來하면 陰向을 하면 來去水가 모두

入地眼全書 根據 2

① 乾水來不可立辛向 辛水來不可立乾向是爲黃泉

② 壬水來立乾向 乾水來立壬向 此不爲黃泉

③ 坤水來不可立庚丁向庚丁水來不可立坤向是爲黃泉

④ 乙水來不可立巽向 巽水來不可立乙向此爲黃泉

⑤ 丙水來立巽向 巽水來立丙向此爲巨門水？

---

81) 辜託長老著, 『入地眼全書 卷六』, 竹林書局, 中華民國83, p.10. "若壬水來立乾向 乾水來立壬向 此不爲黃泉 此得武曲水也 主發貴 人所不知向上收水"

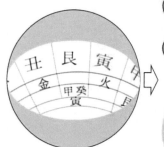

入地眼全書 根據 **3**

① 甲癸二水來不可立艮向 是爲黃泉

② 艮水來不可立甲癸二向 是爲黃泉

最喜淨陰淨陽
陽水來 立陽向하고 陰水來 立陰向
來去水皆同一樣

동일함으로 지극히 아름답고, 지극히 좋게 된다. 書에 말하기를 이것은 살인 황천이다. 이미 이것은 살인황천인데 또 巽丙乾壬二局이 丁財와 富가 빼어나고 발복 한다고 하니 진실로 한탄스럽구나. 이런 종류의 방안 풍수 선생들은 無에서 有를 生하게 하여 구빈황천을 만들어 내어 사람들을 속인다. 사람들을 속이는 것은 일은 작지만, 재앙을 만드는 것은 일이 큰 것이다. 辛이 乾宮으로 들어가면 백만장자요, 癸가 艮宮으로 돌아가면 문장이 나오고, 乙이 巽으로 흘러가면 참된 부귀요, 丁, 坤은 마침내 보화를 담는 만개의 상자이다. 이 말에 의하면 방울 방울이 맛이 있는 것 같으나 자세하게 오는 것을 살펴보면 이것 모두가 陰陽破局임을 모르는 까닭이다."[82]라고 하는 것을 봤을 때 나경 2층에 규정된 모두가 황천수가 아니라는 것을 알게 하는 좋은 증거라고 본 논자는 본다.

9층 나경 2층의 나머지 황천살 역시 동일하게 봐야 한다고 본다. 즉 癸向이면 淨陽向이고, 艮은 淨陰으로 황천이고, 艮向이면 淨陰向이고, 甲, 癸는 淨陽으로 황천이고, 甲向이면 淨陽向이고, 艮은 淨陰이라 황천이

---

82) 辜託長老著, 『入地眼全書 卷六』, 竹林書局, 中華民國83, pp.10-11. "最喜淨陰淨陽 陽水來立陽向 陰水來立陰向 來去水皆同一樣 故爲盡善盡美 書云 此爲殺人黃泉 既是殺人黃泉而又有巽丙乾壬二局而發丁財富秀 可恨 這些屋裡先生 無中生有 造出一救貧黃泉以哄人 哄人事小 作孽事大 辛入乾宮百萬庄 癸歸艮位發文章 乙向巽流眞富貴 丁坤終是萬筒箱 據此話滴滴有味 殊不知仔細看來 盡是陰陽破局"

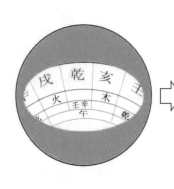

入地眼全書 根據 ①

1 巽坐乾向: 辛 黃泉, 壬 不爲黃泉

2 이유: 정음정양의 음양합국, 파국

乾向=淨陽向

3 辛: 淨陰…陰陽破局..黃泉(廉貞水)

4 壬: 淨陽…陰陽合局..不爲黃泉(武曲水)

고, 乙向이면 淨陽向이고, 巽은 淨陰으로 황천이고, 巽向이면 淨陰向이고, 乙은 淨陽으로 황천이나 丙은 淨陰이라 황천이 아니고, 丙向이면 淨陰向이고, 巽은 淨陰이라 황천이 아니고, 丁向이면 淨陰向이고, 坤은 淨陽이라 황천이고, 坤向이면 淨陽向이고, 庚, 丁이 淨陰이라 모두 황천이며, 庚向이면 淨陰向이고, 坤은 淨陽이라 황천이 된다는 것을 알 수 있다. 辜託長老는 『入地眼全書 卷七』「向依水立」에서 다음과 같이 설명하고 있다.

황천수는 乙丙向에는 모름지기 巽水가 먼저 오는 것을 막아야 한다고 했다. 이미 명쾌하게 설명한 바와 같이 누가 알 것인가! 好事者가 救貧黃泉이라 바꾸어서 오히려 乙向에 巽水가 흐르면 淸富貴요, 오는 것은 황천이나 나가는 것은 황천이 아니다 하며, 유독 水性의 來去함이 모두 禍福에 관련된다는 것을 이해하지 못한 바이다. 乙向은 陽에 속하며, 巽水는 陰에 속하니 陰水가 陽局을 깨뜨리고 祿存水를 범하여 떠나간 것이니 敗家滅門 한다. 이러한 向으로 묘를 용사하는 것은 과연 이것은 侵消의 富貴로 家敗人亡 하리라. 종합하면 好事者가 假局을 지어내어 사람을 해롭게 한 것이다. 丙을 말하지 않은 것은 움직이는 來去에서 敗人家富貴를 분별하는데 왜 丙向에 巽流하면 淸富貴한다고 말하지 않았으며, 어찌 마땅히 참 부귀가 아닐까! 一局을 예로

八局을 가히 알 수 있다.[83]

풍수지리를 공부하는 학자는 黃泉殺의 有無가 輔星水法의 淨陰淨陽의 陰陽合局과 陰陽破局에 있다는 것을 인식하여야 할 것이다. 그렇지 아니하면 김덕기가 「다산 정약용의 풍수집의에 나타난 풍수인식」에서 "다산은 곽박 자신이 극형을 당했을 뿐만 아니라 후대에 이 술수를 계승한 자도 더없이 기쁘고 좋은 일이 하나도 없었으며, 조선에서도 풍수로 이름난 南師古, 李懿信과 같은 이들도 종묘가 무너지지 아니한 경우가 없었고, 제사가 끊이지 않는 경우가 없었다고 풍수에 대하여 비판론적인 입장을 취하고 있다."[84]라고 하였는데 제대로 된 이론을 알지 못하고 묘지를 조성하거나 주택을 조성하게 되면 "남사고 선생의 부친 남희백 묘를 절손지에 쓴 것과 같은 풍수 術"[85]로는 집안이 절손되니 제대로 된 풍수이론을 정립하는데 게을리해서는 안 될 것이다.

---

83) 辜託長老著, 『入地眼全書 卷七』「向依水立」, 竹林書局, 中華民國83, p.4. "又如黃泉水 乙丙須防巽水先 已說明矣 誰知好事者改爲救貧黃泉 反云 乙向巽流淸富貴 來爲黃泉去不爲黃泉 獨不解水性來去均關禍福 乙向屬陽 巽水屬陰 陰水破了陽局犯祿存 水去祿存 祿存敗家滅門 葬此向者果然是侵消之富貴 家敗人亡 總是好事者造出假局以害人 將丙字不言 轉於來去上分辨 敗人家富貴 何不言丙向巽流淸富貴 豈不是當真富貴乎 擧一局而八局可知矣"
84) 김덕기, 「茶山 丁若鏞의 風水集議에 나타난 풍수 인식」, 『한국 풍수 명리 철학회 학술 세미나』, 2024, p.196.
85) 기문풍수지리학회, 『남희백의 묘』, https://cafe.naver.com/pyi2226, 2018.

5장   결 론

  현재 풍수학계에서 가장 많이 사용하고 있는 것이 9층 나경이다. 본 논고에서는 9층 나경 중에서도 특히 1층 용상팔살과 팔요수, 2층 황천살의 허실에 관련하여 다루었으며, 4층과 5층으로 입수룡을 측정하고, 좌향을 정하는 과정과 8층 천반봉침으로 물을 보았던 일반화된 이론을 고전에 근거를 두고 연구해 보고자 하였다.

龍入首를 기준으로 좌향을 놓을 때 9층 나경의 1층, 2층에 관한 실증연구를 통하여 그 허실을 구별하여 두 이론이 당나라 一行禪師가 雜五行을 지어 주변 나라의 풍수관을 흐리게 한 저의를 『옥룡자 경세록』과 『국사무학정음정양론』를 통해 의심해 보고자 하였고, 또한 그 두 이론이 『入地眼全書』를 통해 용상팔살 및 팔요수와 황천살에 대한 잘못된 이론임을 찾아 현장에서 적용해 보았다. 결과적으로 나경에 규정된 이론을 바탕으로 현재까지 다수의 風水家들이 실전에 사용하고 있는 이론이 허실임을 찾아 비판하고 새로운 대안을 찾고자 하였다.

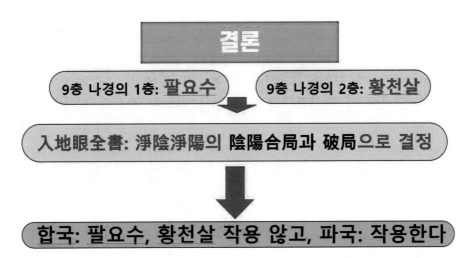

  첫째 나경 1층 용상팔살은 24산을 一卦三山의 혼천갑자와 육효를 이용한 官鬼殺이다. 一卦三山을 克하는 오행의 向을 할 수 없는 것이 용

상팔살이고, 관귀살 방위의 물을 꺼린 것이 팔요수이다. 입수룡을 측정할때에는 지반정침 24산 중 어느 하나로 측정되고 좌향도 어느 하나로 하는데 왜 一卦三山에 얽매어 克을 당한 것이 모두 용상팔살이 되어야 하는지, 그 방위의 물은 무조건 팔요수가 되는지 분석하고 비판하였다. 一卦三山으로 보면 克이 되나 一卦三山을 풀면 3개의 入首龍이 되고, 坐向이 된다. 그러면 克을 당하지 않는 나머지 경우에는 용상팔살이 되지 않는 경우가 있게 된다. 이러한 경우에도 반드시 용상팔살의 흉함이 발생할 것인가?하는 의문을 제기하였고, 팔요수도 마찬가지이다. 一卦三山의 坐를 놓을 때 모두 팔요수가 된다는 것이 기존이론이다. 그러나 임상 결과 一卦三山을 풀면 좌향이 3개가 되는데 좌향에 따라서 팔요수가 되지 않는 경우가 있었다. 일반적으로 팔요수 때문에 집안에 문제가 생긴다고 하는데, 陳希夷 선생이 만든 輔星水法으로 보면 오히려 팔요수가 집안을 凶하게 하기도 하지만 吉하게도 한다.

둘째 나경 2층 황천살은 항상 황천살이 되는 것이 아니라 보성수법으로 보면 아주 길한 물이 될 수도 있다는 것을 알 수 있었다. 본 논고에서 그 근거를 제시하였으니 풍수지리를 연구하는 학자들은 재검증의 연구를 하여, 현장에 잘 맞는 이론은 취하고, 맞지 않는 이론은 과감히 버리면 될 것이다.

풍수지리이론은 크게 보면 만두 형세론과 천성 이기론이라고 할 수 있다. 여기저기에 잘못된 이론들이 스며들어 풍수지리를 어렵게 하고, 묘지나 집터로 인하여 집안을 힘들게 하는 것이 현실이다. 학계에 있는 사람만이라도 현장의 경험과 학문적 이론을 겸비한 학자가 되어야 할 것이다. 풍수지리이론 속에 침투해 있는 「滅蠻經」 이론을 하나하나 제시하고 바로잡지 못한 아쉬움이 있지만, 본 논고가 풍수지리를 연구하는 사람들에게 많은 공감이 되었으면 한다.

Abstracts

This study is a study on whether the 9th floor Nagyung is an important tool for putting leftward in feng shui geography, and whether the first floor Yongsangpal, Palyosu, and the second floor Hwangcheonsal always occur. Yongsangpal and Palyosu on the first floor of Nagyung were made by the 鬼殺 of the 渾 of 卦 Samsan and 六爻 卦. Through practical experience and theory, the existing theory of Yongsangpal, Palyosu, and Hwangcheonsal was re-examined.

This paper studied the questions about the relationship between Yongsang Eight Sails and Eightyosus, and Hwangcheon Sails, the dragon 入首 and 穴入首. In realizing the study, there are various 說, but academic data are insufficient, so the focus was on deriving clear academically evidence.

The writer adopted the following research method. The dragon 入首 measured the 落脈 from the parent mountain, and the 穴入首 measured the 落脈處 from the brain to the bloodstream. The 向 was determined according to the 淨陰淨 of the dragon 入首, and at this time, the dragon's flesh on the first floor and the eight-yosu-ri on the second floor were recognized as the cause of the death. As a solution to the problem, the study was systematically conducted through Gotakjang-ro's 『The Complete Book of 入 on the 眼 of the Earth』.

The 壬午 of the four 爻 of foreign 壬午 is the 乾 of 乾卦. The 午 is unable to do 午向 with the eight elements of the 乾卦, the five elements of the 卦, and is reluctant to do so. When applying the three elements of 戌, it is 乾, 乾, and 亥, but the only 午 of the 午 is 克. The water in the 巽向 room causes problems only with 陰 and 巳向, because it is caused by the 破局 of 陰, not the combined 局 of Jeongeumjeongyang. In the case of 巽坐乾向, 辛 and 壬 are stipulated in Nagyung as Hwangcheon, and the presence or absence of Hwangcheon was investigated through the 局 of Jeongeumjeongyang's 陰 combination and 破局 that 辛 is 黃 泉 and 壬 is not 黃泉.

Through this, the writer drew a research result that the theory that Yongsang Eight-Sal, Eightyosus, and Hwangcheon-Sal should always be reconsidered, so I think it will be very helpful if later students apply it in practice.

Keywords: Feng Shui, Combined Forces and Catastrophe, Nagyung,

Hwangcheon-sal, Yongsang-pal, Palyo-su

參考文獻

1. 原典類

辜託長老 著,『入地眼全書』, 竹林書局, 中華民國83年.
劉伯溫 著,『地理四彈子』, 大山書店總經鎖, 中華民國90年.
成汝杶 著,『原本 天機大要』, 大地文化社, 1991.
葉九升 著,『地理大成羅經指南撥霧集』,「子部19」, 術數類二.
葉九升 著,『地理大成理氣四訣』, 大正書局出版, 2000.
葉九升 著,『地理大成山法全書 下』, 武陵出版有限公司, 2001.
玉龍子,『警世錄』, 年代未詳.
王道亨 著,『羅經透解』, 瑞成書局, 2016.
張久儀 著,『地理鉛彈子』, 大山書店, 中華民國83年.
周景一 著,『校正山羊指迷』, 大山書店總經鎖, 中華民國75.

2. 單行本類

金東奎 譯,『地理羅經透解』, 명문당, 1994.
金碩鎭,『大山周易講解』, 대유학당, 2000.
李奇穆,『風水地理理氣法』, 溫古堂, 1990.
明文堂 編纂,『備旨吐解 正本周易 全』, 명문당, 2001.
朴永仁,『奇門 風水 地理學』, 글로리아북, 2015.
蕭吉 著, 김수길, 윤상철 共譯,『五行大義 原文』, 대유학당, 1998.
유종근. 최영주 공저,『한국 풍수의 원리 1』, 동학사, 1997.
정관도 해설.『무학대사 지리 전도서』, 지선당, 2002.

3. 논문류

김덕기,「茶山 丁若鏞의 風水集議에 나타난 풍수 인식」, 한국 풍수 명리
    철학회 학술 세미나, 한국 풍수 명리 철학회, 2024.

장현구, 「건축물의 배치계획에 있어서 풍수이론의 적용에 관한 연구(이기풍수를 중심으로)」, 동국대 산업대 석사논문, 2007.

4. 인터넷사이트
기문풍수지리학회, 『남희백의 묘』, https://cafe.naver.com/pyi2226, 2018.

<부록1> 옥룡자 경세록 원문과 주해

更部尚書叩頭謝孫曰何敢違越上意曰若此心則

卿出覽四海江山以杜帝王之氣邪一行曰極盡心

力矣曰既則將至幾月必以五月為期則返謁矣曰

監一行將治行裝向江南以去金陵也自古帝

而山川非不佳罷黜運气已衰更不出帝王之栖

侯王將相故再向江西則山多盃气水潤淅滬間

出侠勇之人而不至帝王故更向江東則山佳水麗

人才此ミ不過侯王將相故次向江北則山川

於府庫山無生子生孫水無分支分沭則何以望

辛弛憲回程仰省海東山多尖利木次星辰立

ミ此是小蜀小江南小中華也帝王之才連綿不废

既見之良久咨歎曰天運地理將奈何崔莘光

蓋粘僑擡正球架折併斜禪斬絶□□□

玉龍子警世録

唐天子始統四海歆有傳之無窮之心□自□□

之材天地育靈江鍾氣而出者也難以人力

善察江山之氣者無踰於一行一日公退之暇招致

一行論誨曰卿若奉朕之意朕分天下與卿之子

綿有一室之詛無相爭奪吞并天下如何一行時任

陰將至五目萬念徘徊忽憶秦王古事則痤鈕

鄒嶧山以壓天子之氣者事不符矣吾將有一

計以此行之似可減滅笑靈莫如山氣齦莫如人

滿山人骨葬之則自滅人才三師所著文□□□□

人三明師神眼非穴不葬山有一穴一人葬□□□

地不葬污穢山氣莫可奈何三師張子微餘

青烏子郭璞此三師之文盡爲燒爐後乃可行也

還至長安謁見祖陸帝問曰果何如哉□一奏

曰四海之氣數如此三監海東則山氣蝙結水𣲖

鳶田人才多出連綿不絕帝驚之曰嗚呼奈何

一行曰少臣深熟思之有一妙計帝曰何計一行曰

盡天下畫收三師之文八手燒爐則少臣新造地理

法文刊行天下人皆便之人皆信之以此遍行今亏自

眈滅滅無復刑廣帝曰此非雜事即為行詔為其

詔曰自侯王公卿庶人若見此文者當以律盡收三

乞文燒燴于天都之中一行新造雜五行一曰地理

大全四大局四彈子淨陰淨陽䢴山五行八卦八向太玄

空翻天倒地律呂隔八相生四金都會等蕃次第

做出亦有分金之妙法亦造羅經無鈇不合于此則合

于彼不合于彼則合于此其宗似是而非矣如之禍

福當何為眈則隆隆崤崤無非糞地一朝可以速

醞裰之物以污至靈豈不符心武一行又美

曰東國者異人其名曰道銑此人之才有籠絡奇

權招致以人监後可以無事即牌于海東 叄

則自多好能大抵元軸之氣來自者龍又至隱

忠忽立大小太白此乃支變為幹者也豈不美

哉元出五脚各住其處一八西咸一八殯軸一

遼東一八華北中入海東又出脚而一為俗

離一為五岳至平壤又分松岳一為金剛無

等矣乃天肝無等必出無等之地丼外鷄

龍伽鄉八公皆為支變者也聚則小國之山

氣融結聚豈無爭奪之理守以若

高寸亦有易如友掌絶其元脉之所住處矣

其聚精之地壓其向彩之脉則更不出分

西國示統合民得休息各妥其瑞王自王民

自民於斯可見矣余亦驚怕者莞里他國

永徽元年三月朔朝王龍與中別少禪治行于
長安道路將至一萬四十五百里也而登程八月
得達其時接班万一行也其接客之道寬厚而紹
汝到此乃以交隣國之道其國乃海東一偶𥠖𥠖
少國山多木火之氣水流金環之勢故人寸多出身
一區則自王大發兵三十名而征代之患無年無
至民無休息之日旺而為國者幾希此豈謂王不
王民不民矣余自往年逆旅過次察見其略歷
之𡬾曾記崐崘山為天下山之宗而有三百六十之元柱
故有三千六百之懸軸元柱之勢一玄金陵一玄洛
一玄長安一玄東都其外許多氣脉不可盡舉也陽
譬這人幹氣則如人之元氣故別無巧邪支脉

家五行皂胎專務惑誣則其理其應否驗

一行地理家之罪人其葬家功勿用水法

五行以本體五行為主以尋龍提脉得雨

占穴審砂察水為正規而葬則無可見

敗故畧陳于左

山體五行正體

正体 兵木　直頓齊物

正体 立火　如鉅末火

正体 立土　平正如元者土

正体 立金

正体 立水

即漲 天體

根 晶水

升丘体变不卧　木直即不卧

火变体　眠火

土眠

山水完監坐嵌悅如一丸肝膽冷凝是以信其
言還鄕一依所敎亦有所居鄕北于浦中立
鳳岩云和一日內鑿出云故果試之則九十
涌之水勢急流湮涌我國地形如行舟
其浦為都水口鳳岩為狂棹而棹折波
意舟之運行誠難反思其心腸切腐竟甚
我何空自見欺乎卽為鐵砧瓦靈山石九尋
峯上兩西又下雲朱洞以于佛于塔鎭其長
安分野而因作警世錄一篇以警世人事圓
切以聲說為後着此圖畫為藥家標准丁
則庶無所失矣凡水法者一行之本意滿
山人骨葉污穢山氣以減人才故做出雜

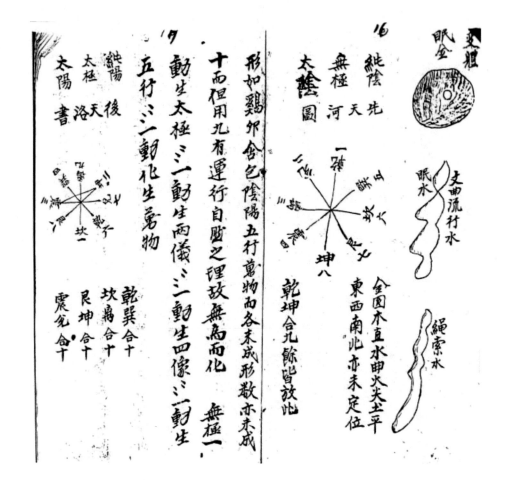

眠金

太陰圖
無極　河
純陰　先天

太陽　書
太極　洛天
純陽　後

金圓木直水曲火尖土平
東西南北亦未定位

文曲流竹水
眠水
繩索水

乾坤合九餘皆放此

形如雞卵包含陰陽五行萬物而各未成形數亦未成

十而但用九有運行自然之理故無爲而化　無極一
動生太極三一動生兩儀三一動生四像三一動生
五行三一動化生萬物

乾巽合十
坎离合十
艮坤合十
震兑合十

圓火炎木直土方実都斯之辨其相生相克為吉区㐰

陰陽仝　有無極而生太極則無在陰也太極陽故先陰後陽也矣

先陰後陽者先天後天也陰極而生陽之極陰

生束氣為崢者陰氣布為坦者陽直者陰

曲者陽静者陰動者陽伏者陰起者陽夾者陰

廣者陽窄也老陰孤陰孤陽之形何以謂

陰極而無陽曰老陰何以謂老陽乙極而

無陰曰老陽何以謂少陰陽極而生陰曰少陰

何以謂少陽陰極而生陽曰少陽何以謂孤陰

陰之本身姑舍傍亦奥衛抱化輔陽曰孤陰

何以謂孤陽之之本身孤單亦無傍抱化陽

曰孤陽陰陽無窮故出山先思陰陽二字矣

砂水

砂者「先以龍席為證」晋山傍出脚者也水者「

骨肉間流去者而砂水本一家之物故砂回則

水亦回之砂反則水亦反之矣山運進退崙

衆灒「惟水能之」可審水下砂送水回頭

則歌氣自衆水下砂隨水而反走則穴氣

過峽現摸「　　護送童身之物太

過山未過度趺對霜曰過峽者挾也開肩生

砂成峽挾補龍身如項伯起舞翼蔽沛公

者也是以有單迎送弨迎送交互迎送其為

覯摸也護送龍身者而共大綱都是防風

子午卯酉爲旺位

兩儀陰陽也陰陽始判以五行化生萬物各成其形天地

始爲定位而以子午卯酉定其四正以乾坤艮巽爲四維

以寅申巳亥爲四生位以辰戌丑未爲四庫藏將亦成

十前師方書畫圖中但言龍之貴賤不言龍之行

傲但言過峽之美惡不言過峽之規模但言穴之真

傲不言穴之性氣則後之學者茅糊此理不可惜

哉 理氣

運行曰理成形曰氣故曰理與氣不相雜不相雜

其外所謂水法理者眩人耳目功不用焉

水火金木土爲五行而非以爻字爲言以山脈形體又

爲法萬古不易之大綱也蓋論其形體水與金

避水之理而美惡果如比峽之斷震若值風

吹則氣不桂接續又逢水刦則脉不能牽連

可以成龍結穴于是故龍之性舍都係於入首

一峽名此留竜之性舍閞非峽不能辨龍之眞假

龍行道

山氣之變化難測則曰竜其行度也譬傳下殿

不遠千里而未離間宗豈可半途而止一起一伏

有過峽而色之迤迴屈曲更為跌斷束起則

此是變化若非隂陽交承之理豈有胎息孕

育之道子始分曰胎降伏曰息成形曰孕融結

曰育其祖宗山從尹援火秀者貫竜也方圓

豐厚者冨龍也東氣後復結咽之後起

頭則乃立穴場〔亢〕

穴性氣

穴者地氣發生之孔名曰氣口其性氣也最怕風

吹水到故防風避水而結焉窩鉗乳突四象

乃穴之母窩是太陽鉗是少陽乳是少陰突

是太陰凡穴皆從四象中出來故有母子相生

亦有子母相依之道凶各有九變爲三十六格

蓋穿山脈高則暈亦高出其氣吐而呼

爲浮曰土縮少陰也穿山脈低則暈亦低出

其氣吞而吸爲沉曰羅文少陽也凶則其性怕

風故先送龍虎以防其風其氣怕水故先分

八字以界其水而風從中聚結又從下合之

옥룡자 경세록 원문과 주해 61

故氣不渴爲是故上分者八坤地坤儀也下

合者一乾天乾儀也先陰後陽之理分明于

先陰極陽生陽極陰生昭區在此穴法雖區分

各家規模亦有興補故或曰乘金相水

穴即不或曰上桃毬簷下對合襟或曰對

倚前親或曰臨頭合脚或曰對躺臍田

其言雖殊其理一也何用更煩詳者精溉

氣聚霧則蟬翼鶯翼砂包于兩傍

蜥眼蝦鬚水分于兩邊交會于堂者是

穴陽雖曰無發亦有邊死邊生之理而

有左減右饒右減左饒之形或有股明股

暗吞吐浮沉之補可不慎哉是故奟於氣

脉者接續龍氣而出者也龍者左右發足
屈曲遠逸起伏謂之龍脉者似龍身而無枝
脚細嫩者謂脉其形如老幹生芽生苗生胞渡

脉則此是生脉太長則氣懶直則氣死
虛則氣衰廳則氣惡太旺則氣驚荒寒

戈氣 玄

東氣者跌斷下更起精神剝換氣像如老
翁抱幼孫 玄

結咽 玄

東氣之微細曰結咽如人之咽喉也血項謂之入

首一峽故曰性命關龍之性命都係于此故便

者到頭一節使水分于兩邊者謂之骨肉

水何者兄弟、姉妹同受父母骨肉分去故抱我

者謂之骨肉正配北背我者謂之客陽我者

謂穴世此項出脉或曰銀鈄或曰蒜蔕或曰

懸鍾索或曰楅太極楅者闢闔之神功極

者坦開如金環謂陰陽交承

蠶頭

有五格方圓尖曲直而尖蠶下也大穴多歲于平蠶本無穴者平

龍虎

蠶頭者穴之頭如人之有頭首以圓正爲上

龍虎者卽抱暴穴身之物分其左右以爲防

風避水ᄂ 如人之股肱護身이又有陰砂名曰

蟬翼輕薄貼身而大曰鶩翼微付僂身

竜帝之內니又有龍帝者ᄂ

封疆

以封疆之大小知ᄅ之大小니

封疆者ᄂ封其疆界也니或以竜帝有封或

以十里五里有封者或以百里數百里有封者ᄂ

各隨竜之力量大小封之者也ᄂ是故垣墻이

城郭是也ᄂ如人之藩籬垣墻也니

局勢

局勢者ᄂ竜帝兩把ᄅ圓滿作成一局者ᄂ

也外竜帝城垣圓滿作局者大也是故又

局者如海導大海任意屈伸이無局無龍이

明堂〔上〕　山開曰明水田曰堂〔入〕

堂者眾水聚囚曰堂亦四圍滿平正為吉〔有〕〔又〕
故無堂無穴傾斜倚側非則堂不取也堂〔入〕
有二說天子將諸侯大開明堂後立玄武旗〔朝〕
前挿朱雀旗左有青龍旗右立白虎旗其
〔籓〕如此天

橫龍作穴法〔本〕
橫者龍之直落而轉身回坐者也有鬼星有
樂山穴後生砂謂之鬼穴後他山特立近立者
謂之樂山龍帛左右生砂謂之曜星案山
外有峯謂之官山水口拱立峯謂之捍門
獨立峯謂之華表〔未〕

66 옥룡자 경세록 원문과 주해

氣影

氣者脉氣之牽引行止中亦有生死吉凶

驚柔衰病之氣又有旺盛蟠連之氣又有

幽暗明朗之氣善觀氣者能察形影者乃

穴場上隱之融々微々之影也作者則有

久着則無些看則有立着則無細入着則有

粗人看則無正所謂罍々高些子名曰土縮少

陰也低些子名曰羅紋少陽也穴面上地紋漸

々微突者土縮也穴面上地紋漸々微低者羅

紋也總是太極竜者山氣變化者也接續

竜氣而牽引者氣者以竜脉之發現於外

者也形者得脉與氣精細美惡之状成形

者也影者若氣不聚形亦不成影亦不出焉〇

看山法

看山之法이看山先面向背向者開面開面則化
陽故物之方暢背者賓北賓北則盡陰故又
物之未長是以取其開不取其背亦有入面移
〇〇形云一山開面正立衆山轎湊拱衛使
風不敢觸使水不敢刦歟後龍自其中出形
自脈氣中出影自形甲出察此五者則盡美謂
貴乼者辟樓龍樓鳳閣穿出御屏襟帳
而未其次自人亦人中末無此格而未者不遇
壟岡〇

看山口訣

窩　太陽

鉗　少陽

乳　少陰

突　太陰

蓋帳不開竜不椮
束咽不細氣不聚

嫩層不伏穴不住
泥乳不滿精不凝

穴之母窩鉗乳突彌曰四像昂□尼肉地

蓋乳突則窩鉗外作穴也

減饒

右山先到帚抱竜穴向右枕左為饒竜
減帚要水自左来從右去石山逆水

定穴

減饒

左山先到竜抱帚穴向左枕右為饒帚
減竜要水自右来從左去左山逆水

順生圖

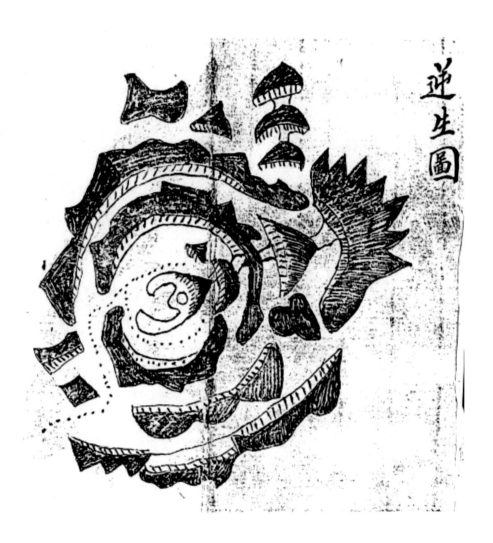

逆生圖

脈氣隱睡注入手轉身盧

癸氣不炎脉

橫龍作穴法　大星回望反關水

詳看其轉身　有頂無頂非野論

精凝處

穿山脉太高則其氣浮上傾下氣日反出脚下氣口

穴也脉者即穿山脉匕在性命関即結咽處故

先師曰但看到頭一幕芒蹇譬直風火刃月スヽ

先師曰俱看到頭一節也慶若值風水刦則穴不
結焉脉太低則其氣昇上氣口直出頂上脉不高
不低冷中則氣口亦出冷中脉左則氣亦泷左而
穴左水来右則氣亦泷右而穴右水来左若青
竜水来右則水纒便是山纒以有青竜相代白
席亦旺穴法有母子相生子母相依母為土子為金

穴也脉者郎穿山脉也在性命関郎結咽慶故

穿山脉太高則其氣附上頓下氣口反出腳下氣口

此母生子母為水子為金此母依子突為金窩為

水氣為木脈氣有二段亦有水氣曲則水氣直

則木各以形體辨者之乘金相水穴土所木

即穴圓先生解之曰乘者如人之乘車乘

馬之謂即乘也金者圓也圓則易生暈言

共暈也即者身邊常佩之物不離身之謂

也木者長而與易為衛抱也言在其穴身邊衛

而抱之也相者助也如人有毋相而汝助也水者曲

也逆也言其逆助上氣也土者平也穴且莝平

故言空土也獨不言火者穴中有溫故溫是

火也則五行具備後結穴乘金如人之額門

即木如人之面頰相水如人之下頤穴土如人之臭

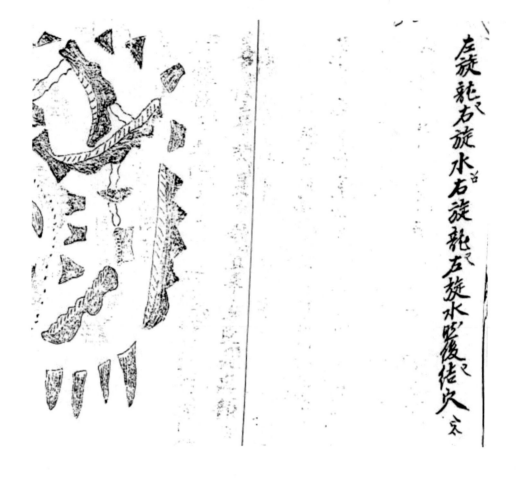

左旋龍右旋水右旋龍左旋水監後結穴

山水
太極
局

回龍顧祖

喜樓喜閃是吉龍直來直受是病龍

喜樓喜門是吉龍直来直受是病龍

坤鑑經云大地多從腰裡落髀枝轉踝作城

非峡不能辨龍之真假無局無龍垂

堂無穴者谷則水有野則水有局則水

以門户之高低以過峡之長短知穴之遠近

以脉氣之左右知穴之左右以封疆之示知穴

関鎖論

純木　純水　純火

純金　純土

山以関之水以鎖之故有陰陽関若白虎

先到青龍後釗則此右旋龍左旋水謂之

陰関陽鎖若青龍先到白虎後到則此

左旋龍右旋水為陽関陰鎖也

作穴規模

沈六圓曰乘金相水穴土卽木穴之廬山頭則

論其星皆曰乘金相水穴土卽木 則易生暈

故曰金皆稱其圓也乘者如之乘車乘馬

之樣故言其乘也相水者何也相者如人之有內

相由助之意故言其助也水者曲而逆䒶上下氣

言其逆也土者平故置其穴所者常佩身遶

之物不難其身相對之形如蹄印故曰木者

長而曲易為衛抱故曰木大抵譬遠人乘

金額門相水下胺穴土臭違印木兩頹痛

竜席也餘外槐趫蕤下封合襟或曰臨

頭合脚或曰帶裙稱其言唯殊其

理鐘一也其中第一照要之言上分下合凡百

諸格皆入分合之中口古時先看龍席龍席

短者以腮看穴未及腮了不可穴過腮了不

可穴竜席長者以肘看穴肘者肱之兩曲之

處言之未及肘了不可穴過肘了不可穴

龍脈氣形影

竜有變化監後脈有精細脈有精細監後

氣明朗氣有明朗監後形有各成形有各

成監後能生影子此是地面隱之融之微之

妙妙氣誠言感善觀氣者能察影之是

羅文土縮故借昌之坐子物

造化神功在觀占局此自漢唐宋明以来

知之者鮮矣故世無傳焉余自上國迡鄉時遇

一老人於太白山高居一夜情誼繼縷說話山

水性理無不符合問其禍福曰都在觀星

占局余亦曾未知故詳問其條理而編次

於左又假令純木無穴金星停立制之土星

又助之則木枝變爲水體而作穴當占水土局

純水星亦無穴土星左右列立相制相救則水
脉變為木枝而傍生芽穴當占三木局純
金金無穴火星為祖為朝則遇火局器則
而若無此則以左火局為用方成器則有
辨有發非但以純金論之能亦如此星
口觀其變化不違其性而占局則無不發福
下以一天水局占穴永無應驗皆微此法
惜乎一行以減寸之意燒其三師卿著真妙
大法文故世盡傳焉時師不知此法但以分金
之說紛紜則豈可以補道甲篆乎穴堵上
影者郎楷羅文土縮則地面器三為高些
子其彰兆名曰仰掌故為少陽穴土縮則地面

墨三爲高此子其形浮名曰伏掌故爲少陰穴

糞其浮沉之氣不柔於貫來之脉何以言之

直脊爲柔完突合毒此自顯不化故知者棄

之不知者取之若取之自滅亡可不慎哉

善觀氣者能察影氣影之外占穴之法在於

何氣者動辭也影者氣之放光心占穴之法

何難之有都在於分合也上分不明則其未不真

内無生氣之可接下合不明則其止不真外無

堂氣之可接受詳者分合之明不明則真

所謂仙眼兀竜脉之氣不聚則上不分矣精

神不凝則不合矣影而復分者化陽之意

也分而復合者育陰之意也則豈非陰陽交

婦之理耶陰極而陽生陽極而陰生此後方生穴
也雖云窩鉗乳突四象為穴之母若無分合
則豈有作穴之理乎乘金相水穴卽不上
挑毬簷下對合襟臨頭合脚各家之言
雖殊理則一也更何他求且

十四帳

冲天木星峯麗帳
焰天大星芙蓉帳
崇高金星錦欄帳
非木非土清吏帳

九腦曰雲霄帳
一腦曰飛鴉帳
二腦曰仙嬌帳
土上加金玉女帳
木上加火仙人帳
火上加土將軍帳

五腦曰梅花帳
七腦曰蓮花帳
金上加水文曲帳
橫天土星御屏帳

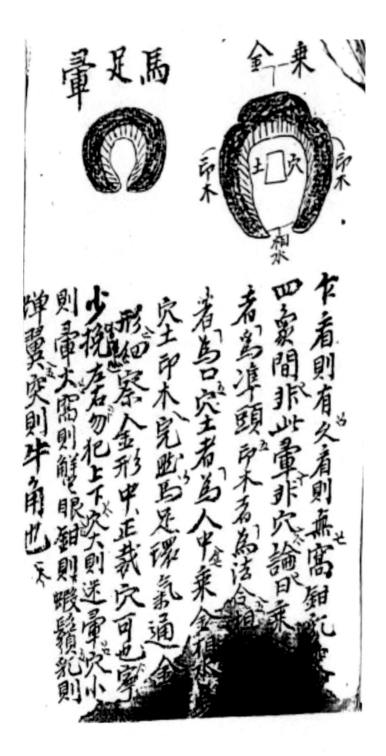

下者則有火者則兼窩鉗穴
四象間非此暈非穴論曰秉
者為準頭印木者為法令相
者為口穴土者為人中秉金相水
穴土印木完兙焉足環氣通金
形如察金形中正裁穴可也寧
少挽左右勿犯上下穴大則迷暈穴小
則暈火窟則鮮眼鉗則蟻髏乳則
蟬翼突則牛角也

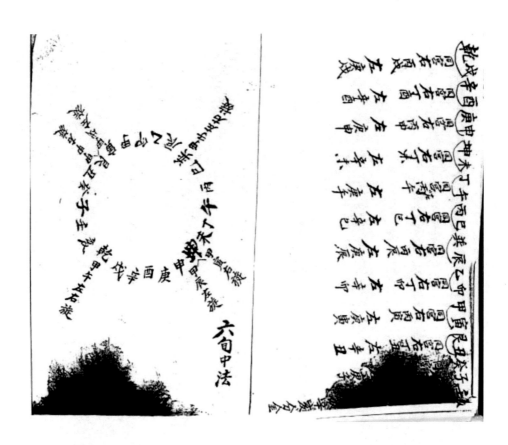

六旬中法

正命生氣法　王龍子　松傳　二三六取用

坤乙亡命一艮丙二巽辛三乾甲四離壬戌五庚亥未六兌丁巳丑

巽辛亡命一坎癸申辰二坤乙三震庚亥未四兌丁五乾甲六離寅壬戌

乾甲亡命一兌丁巳丑二震庚亥未三坤乙四坎癸申辰五巽辛六離庚

巽辛亡命一兌丁巳丑二震庚亥未三坤乙四坎癸申辰

兌丁巳丑亡命一乾甲二離寅壬戌三艮丙四巽辛

五坎癸申辰六坤乙

艮丙亡命一坤乙二坎癸申辰三兌丁巳丑四震庚亥

寅壬戌　六乾甲

離壬戌亡命一坤乙二坎癸三兌丁巳丑四震庚亥未五離

四坤乙五艮丙六巽辛

癸申辰亡命一巽辛二艮丙三離寅壬戌四

五兌丁巳丑六震庚亥未

震庚亥未亡命一離寅壬戌二艮丙三離寅壬戌四

五兌丁巳丑

一天人丹毒方
米漿을細末로써滯和水當を蜜荊塗之

一胎動方
洗濯絹을握詳湯服效

一寫症房方
鷄卵一介參杏服易效

此症方어덕 朱一錢을白水送下一夜 고 (새며미봄등에)病者의年歲数 只로作藥

滯症單方 粘米 (찹쌀)一斗全作飯で며盜一
楊作一花餅を야外火固卷積棟で고 文火를煎熟を고
中고作一飯燒火後盜之作細末 や外食後連服
則永久無滞効

金룡숙三二次則効

今癀二三次則効?

古典　玉龍子 警世錄 註解

1장 총론

> 唐天子**가** 始統四海**하고** 欲有傳之無窮之心**하야** 然**이나** 自古帝王之材**는** 天地**가** 育靈**하고** 江山鍾氣而出者也**니라**. 難以人力所致**니라**.

당 천자가 처음 사해를 통일하고 무궁지심을 전하고자 한 마음이 있었다. 연이나 예부터 제왕의 재목을 가지고 있는 사람은 하늘과 땅이 신령스럽게 기르고, 강산종기에서 나온 것이다. 사람의 힘으로 이르게 하는 바는 어려운 것이다.

> 善察江山之氣者**는** 無蹤於一行**하고** 一日公退之暇**한대** 招致於一行**하야** 諭誨曰 卿**이** 若奉朕之意**하면** 朕分天下與卿之子孫**하야** 有一室之誼**라**. 無相爭奪**하고** 吞幷天下如何**고**? 一行**이** 時任吏部尚書叩頭拜謝曰 何敢違越上意**하리오** 曰 若然則卿出覽四海以杜帝王之氣所**니라**.

*諭: 깨우칠, 밝힐, 이끌, 인도할, 깨닫다, 견주다, 비유할 유
*誨: 가르칠, 가르쳐 인도할, 보일 회
*暇: 겨를, 틈, 한가하게 지낼, 여유있게 지낼 가
*叩: 두드릴, 때릴, 조아릴, 꾸벅거릴 고 /두드릴 구
*叩謝(고사): 머리를 조아려 사례하거나 사죄 함
*誼: 옳을, 의논할, 다스릴 의

강산의 기운을 잘 살피는 사람은 일행을 뛰어넘을 자가 없고, 하루는

공이 물러나 한가하게 지내고 있는데 일행을 불러 유회하여 말하길 경이 만약 짐의 뜻을 받든다면 짐이 경의 자손과 더불어 천하를 나눠 한 집안처럼 다스리고 싶다. 서로 쟁탈하지 않고, 천하를 함께 다스리고 싶은데 어떠한고? 일행은 이때 이부상서를 맡고 있었는데 머리를 조아리고, 절을 하고 말하길 어찌 감히 윗전의 뜻을 거절하겠습니까! 그럼 말하겠노라! 만약 그러할 것 같으면 경이 사해를 두루 살펴보아 제왕지지가 있는 곳을 막아 보도록 할 것이다.

一行曰 極盡心力矣 曰然則將至幾月 必以五月爲期則返謁矣
曰然 一行將治行裝向江南以去金陵也**니라.**
自古帝王之州而山川非不佳麗旺運氣已衰更不出帝王之材**니라.**
或可候王將相 故再向江西則山多盍氣**하고** 水澗浙灑間出俠勇之人而不
至帝王故**로** 更向江東則山佳水麗人材比比不過候王將相故**로** 次向江北
則山川盡入於府庫 山無生子生孫**하고** 水無分支分派則何以望人才乎**아**

*盍=鬱의 속자/ 막힐, 막혀서 통하지 않을 울
*浙: 강이름 절
*灑: 거를 역
*俠: 호협할, 가벼울, 젊을 협

일행이 말하길 극진히 심력을 다하겠습니다. 그러면 장차 몇 개월이면 되겠는가? 반드시 5개월이면 돌아와 아뢰겠습니다. 그러하라 말하고 일행이 행장을 꾸리고 강남으로 향하고 금능으로 갔다.

弛慮回程**하야** 仰看海東山**하니** 多尖利木火星辰**이** 立立處處**하니** 此**가**
是小蜀**이요** 小江南**이요** 小中華也**니라**

생각을 정리하고 여정을 되돌아오는 길에 해동 산을 머리를 쳐들어 자세히 바라보니 첨리한 목화성진이 곳곳에 수없이 많이 위치하니 이것이 바로 소촉이요, 소강남이요, 소중화라.

帝王之材**가** 連綿不絶**하야** 見之良久**니라**. 咨歎曰 天運地理將
奈何**오**? 荏苒光陰將
至五月**하야** 萬念徘徊忽憶秦王古事則瘞釦鄒嶧山**의** 以壓天子
之氣者**는** 事不符矣**니라**.

제왕의 재목이 오랫동안 끊어지지 않고 오랫동안 보게 될 것이다.
탄식하여 말하길 천운지리가 장차 어찌 될 것인가! 세월이 광음처럼 흘러 장차 5월에 이르자 수 만가지 생각이 배회하다 홀연히 진왕의 고사를 생각한 즉 추역산(진시왕이 동쪽으로 순시할 적에 추역산에 올라 돌에 새겨 공덕을 칭송하니 이 글은 이사(李斯)의 소전(小篆: 전자 전/ 진 나라 이사가 만들었다고 함)이다.)의 무덤의 제사 천자지기를 누르는 것 은 대사와 부합하지 않다.

吾將有一計以此行之似可減滅矣라　靈莫如山氣하고　醜莫如人骨하고 萬山에　人骨葬則自滅人才니　三師所著文皆學習하야　人人明師神眼하 고　非穴不葬하고　山有一穴이면　一人葬之하고　餘地不葬하야　汚穢山氣 를　莫可奈何리오

*汚: 더러울 오
*穢: 더라울 예
*奈: 어찌 내

　내가 장차 하나의 계책을 내어 가히 감멸하게 할 것이다. 신령스러움은 산의 기운과 같지 않고, 추하기는 사람의 뼈와 같지 않고, 만산에 인골을 매장한즉 인재가 스스로 멸할 것이니 삼사가 저서한 글을 모두 학습케하 여 사람마다 명사가 되고 신안이 되게 하고, 혈이 아니면 매장하지 아니 하고, 산에 하나의 혈에는 한 사람만 매장하고 나머지 땅에는 매장하지 아니하면 어찌 산의 기운이 더렵혀지겠는가!

三師는　張子微와　靑烏子와　郭璞이라.　此三師之文을　盡爲燒燼後에　乃 可行也니라.　還至長安하야　謁見　楓陛帝하니　問曰　果何如哉아! 一行이　奏曰　四海之氣數가　如此如此하나이다.　然하여　海東則山氣融結水 派彎回하니　人才多出하고　連綿不絶하다.　帝驚之曰　鳴呼아　奈何오?

*燼: 불탄끝, 깜부기불 신(=타다남을), 땔나무 신
*楓: 단풍나무, 신나무 풍
*陛: 섬돌, 계단, 순서, 차례, 섬돌곁에 시립(侍立)하다 폐
*奏: 아뢸 주

삼사는 장자미와 청오자와 곽박이라. 이러한 삼사의 문헌을 다 불태워 없앤 후에 가히 행할 것이다. 장안으로 되돌아와 풍폐제를 알현하니 황제가 묻기를 과연 어찌할 것인가!

일행이 아뢰어 말하길 사해지기 數가 이와 같고, 이와 같으나이다. 연하여 해동은 산의 기운이 융결하고 물의 여러 갈래가 만곡하여 빙 두르고 있으니 인재가 많이 출하고, 그것이 끊이지 않고 연면할 것입니다. 황제가 놀라서 묻기를 오호! 어찌해야 하는가?

一行이 日 少臣이 深熟思之하야 有一妙計하니라 帝日何計오?
一行이 日 詔天下에 書收三師之文을 入于燒燼하야 則少臣이 新造地理法文刊行하야 天下人이 皆便之하고 人皆信之케하야 以此偏行하면 人才도 自然減滅하리니 無復慮니라 帝日 此는 非難事則爲行詔焉이라. 其詔日自候王公卿과 庶人이 若見此文者는 當以律로 盡收三師之文하야 燒焚于大都之中하고 一行이 新造雜五行하니라

일행이 말하길 소신이 깊이 생각하여 하나의 좋은 계책이 있습니다. 황제가 말하길 무슨 계책이 있는가? 일행이 말하길 천하에 조서를 내려 삼사의 글을 거두어들여 모두 불살라 버리십시요! 소신이 새로운 지리법문을 간행하여 천하인이 모두 익히게 하고, 사람들이 모두 믿게 하여 이 신조 지리 법문이 행하여지면 인재도 자연 감멸될 것이니, 다시는 근심이 없을 것입니다. 황제가 말하길 이는 어려운 일이 아니니 조서를 행하도록 하라. 그 조서에 말하길 왕후공경과 서인에 이르기까지 만약 이 글을 본자는 마땅히 율법으로써 삼사의 글을 회수하여 대도에서 모두 소각하니라. 일행이 새롭게 잡오행을 짓는다.

一日 地理大全과 四大局과 四彈子와 淨陰淨陽과 雙山五行과 八十八向과 大小玄空과 飜天倒地와 律呂隔八相生과 四金都會等書를 次第 做出하고 亦有分金之妙法과 亦造羅經盤針하야 不合于此하면 則合于彼하고 不合于彼면 則合于此하니 其實似是而非矣라

첫째 말할길 지리대전과 사대국과 사탄자와 정음정양과 쌍산오행과 팔십팔향86)과 대소현공과 번천도지와 율려격팔상생과 사금도회등서를 차례대로 지어서 출간하고 또한 분금의 묘법과 나경반침을 지어내어 이것에 불합하면 저것이 합도하고, 저것이 불합하면 이것이 합도하게 하니 그 사실은 비슷한 것 같지만 비슷하지 아니한 것이다.

如人之禍福當何爲然則嶝嶝崎崎에 無非葬地니라 一朝에 可以醜穢之物하야 以汚至靈之氣면 豈不符心哉아 一行又奏曰 東國에 有異人하니 其名曰道詵이라 此人之才는 有籠絡奇權하야 招致此人 然後에 可以無事 卽牌于海東이니라 永徽元年三月朔朝에 玉龍與中別少禪하고 治行于長安하야 道路將至一萬四千五百里也니라.

*嶝: 고개, 비탈길, 나지막한 고개 등
*崎: 산등성이 척
*符: 부신, 상서, 길조, 수결 부
*徽: 아름다울, 표기, 기러기발 휘
*招: 부를, 속박하다, 결박하다, 얽어매다 초
*牌: 패, 방, 명찰, 포고문, 공을 새긴 패

마치 사람의 화와 복이 마땅히 그와 같다면 고개마다, 산등성이마다 매장할 곳이 될 것이다. 일조에 추예지물 즉, 사람의 뼈를 매장하여 지극히 신령스런 기운을 더럽게하면 어찌 마음에 부합하겠는가! 일행이 또 아뢰어 말하길 동국에 이인이 있으니 이름하여 도선이라 합니다.

이 사람 도선의 재주는 기이한 권능을 농락할 정도로 뛰어납니다.

이 사람을 초치한 연후에 가이 평안 할 것인 즉, 해동의 방패가 될 것이다. 영휘원년 3월 초하루 아침에 옥룡자는 중도에 소선과 헤어지고, 장안으로 행하기 위해서 행장을 준비하였다. 그 길은 14,500리이다.

---

86) 88향이 이때 있었는지 의구심이 드니 이 경세록은 후세 사람이 옥룡자를 가탁해서 쓴 글이 아닌지 의심이 든 구절이다.

而登程八日에　得達其時按班乃一行也니라.　其接客之道는　寬厚而招汝
到此乃以交隣國之道니라　其國은　乃海東一隅牌域小國이나　山多木火
之氣하고　水流金環之勢故로　人才多出하고　得一區則自稱王이라하고
大發兵三十名而征伐之患이　無年無至하고　民無休息之日　然而爲國者
幾希하야　此所謂王不王하고　民不民矣라

*希: 바랄, 드물 희

　여정에 오른지 8일만에 도달하니 그때 일행이 안반(빈객을 맞이)하였
다.[87] 그 접객의 도는 관대하였으며, 너, 도선을 인접국가의 도리로 이에
초청하니라. 그대의 나라는 해동의 한 모퉁이의 구역인 소국이나 산세가
木火의 氣가 많고, 물이 金星體로 환포하는 형세인 고로 인재가 많이
나오고, 한 구역을 얻어도 자칭 왕이라 칭하고, 크게는 30명의 병력을
일으켜도 정벌의 근심이 없는 해가 이르지 않았고,백성들은 쉬는 날이
없었다. 그리하여 나라꼴이 됨이 부족하여 이것은 소위 왕은 왕이 아니
고, 백성들은 백성이 아니었다.

余自往年逆旅過次旣(槩)見　其略歷皆可記니라　崑崙山은　爲天下山之宗
이요　而有三百六十之元柱故로　有三千六百之縣軸이니라　元柱之勢는
一去金陵　一去洛陽　一去長安　一去東都니라.　其外許多氣　脈은　不可盡
擧也니라

*槩: 평미레, 누를, 억압할 개(槪와 同字)
*軸: 굴대, 북, 베틀기구의 한가지, 두루마리 축

　내가 왕년에 주유하면서 이미 본 것을 대략 모두 기록하였다. 곤륜산은
천하 산의 조종이요, 360 원주가 있는 고로 3600 현축이 있다. 원주지
세는 하나는 금능으로 가고, 하나는 낙양으로 하고, 하나는 장안으로 가

---

87) 일행이 맞이하였다는 것은 역사적으로 맞지 않는 내용이다.

고, 하나는 동도로 간다. 그 외의 허다한 기맥은 일일이 다 열거할 수 없다.

譬這人한데 幹氣는 則如人之元氣故로 別無巧邪하고 支脈은 則自多奸能하다. 大抵 元軸之氣는 來自靑龍하고 又至隱忠하야 忽立大小太白하니 此乃支變爲幹者也니라.

*譬: 비유할, 깨달을 비
*這: 이 저

이것을 사람에 비유하면 幹氣는 마치 사람의 원기와 같은 고로 별도로 교묘하고 사악한 것이 없다. 지맥은 자연스럽게 奸邪한 기운이 많은 것이다.
대저 원추지기는 청룡으로부터 오고, 또한 숨어있는 맥에 이르러서는 홀연히 대소태백을 세우니 이것이 바로 지룡이 변해서 간룡이 된 것이다.

豈不美哉아! 兀然五脚各住其處에 一入西域하고 一入彌勒하고 一入遼東하고 一入華北하고 中入海東하야 又出脚而一爲俗離하고 一爲五坮하야 至平壤하고 又分松岳하야 一爲金剛하고 無等矣라 乃天下無等은 必出無等之地니라. 其外鷄龍과 伽倻와 八公이 皆爲支變者也니라 然則小國之山氣는 融結融聚라도 豈無爭奪之理乎아

*兀: 우뚝할 올

어찌 아름답지 않겠는가! 우뚝 솟은 태조산에서 다섯 가지로 각기 거처하는 곳에서 하나는 서역으로 들어가고, 하나는 미륵으로 들어가고, 하나는 요동으로 들어가고, 하나는 화북으로 들어가고, 그 가운데 해동으로 들어간 용맥도 있다. 또한 해동으로 들어간 용맥이 나와 하나는 속

리로 들어가고, 하나는 오대로 들어가서 평양에 이른다. 또한 송악으로 분맥이 되는데 하나는 금강이 되었는데 그 차이가 없었다. 이에 천하에 차이가 없어 반드시 차이가 없는 땅이 나왔다. 그 외 계룡과 가야와 팔공이 모두 지룡으로 변한 것이다. 그러한즉 소국의 산기는 융결융취한 것이라도 어찌 쟁탈의 이치가 없겠는가!

以若高才亦有易如反掌絶88)**인데** 其元脈之所住處**에** 灸**하야** 其聚精之地壓**하야** 其向精之脈**이면** 則更不出人才**니라** 而國亦統合民得休息各安**하니라** 其堵王自王**하고** 民自民**하야** 於斯可見矣**라** 余亦驚 悟者**는** 萬里他國山水**가** 完然**에** 坐談怳**하야** 如一丸肝膽冷**하니라** 然**하여** 是以**로** 信其言還鄉 一依所敎 亦有所居鄉 九十浦中立 鳳岩云**호대** 而一日內鑿出云故**로** 果試之則九十浦之水勢急流洶湧 我國之形如行舟也**니라.**

---

*堵: 담, 거처, 주거, 이것, 저것 도
*悟: 깨다를 오
*怳: 황홀할, 멍할 황
*洶: 물살세찰 흉
*湧: 샘솟을, 성하게 일어날 용

이와 같이 高才가 많이 나오는 것은 또한 손바닥 뒤집는 것과 같이 쉬울 것인데 그 원맥이 머무르고 있는 곳에 뜸을 뜨고, 그 정기가 뭉쳐있는 곳을 누르면 정기의 맥으로 향하는 맥은 다시는 인재가 나오지 않을 것이다. 나라 역시 통합되고, 백성이 휴식을 얻어 각각 편안해질 것이다. 그 거처하는 곳에 왕은 스스로 왕처럼 되고, 백성은 저절로 백성스럽게 될 것을 가히 볼 수 있을 것이다.

나 역시 놀랐고, 깨우친 것은 만리타국의 산수가 완연함이요, 앉아서

---

88) 원문에 絶이라고 나오는데 문맥상 절은 왜 들어갔는지 모르겠음

담소를 나누면서 황홀하면서도 마치 一丸의 肝膽이 서늘하게 된 것 같았다. 이것으로 그 말을 믿고 고향으로 돌아와 그의 가르침으로 살고있는 구심포 마을 중 봉암을 말할 것 같으면 1일내로 뚫으니 과연 시험해본즉 구심포의 수세가 급해지고 흉폭해지더라. 아국지 형세는 마치 행주형과 같으니라.

此浦爲都水口이고　鳳岩爲雙棹而棹折波急舟之運行誠難反思其心腸切腐莫甚　我何空然見斯乎아　卽爲鐵砧置靈巖九鼎峰上向西　又　下雲朱洞에以千佛千塔鎭其長安分野而因作警世錄一篇하야 以警世人하노니 幸勿不以瞽說로 爲佞하고 看此圖書하야 爲葬家標準則庶無所失矣니라

*砧: 다름이돌 침
*鎭: 누를, 진입할 진
*佞: 아첨할 영(녕=佞의 속자)
*瞽: 마음이 어두운, 소경, 분별이 없을 고

이 포구는 도의 수구가 되고, 봉암은 쌍돗대가 되는데 돗대가 부려져서 물결이 급해지고 배의 운행이 심히 어렵게 되었는데 오히려 반대로 생각하니 심장이 끊어지고 썩는 것 같아서 편안하지 못했다. 내가 공연히 이것을 보지 못했다는 말인가! 즉, 영암 월출산 구정봉에서 서쪽을 향해서 철침을 박고, 또 운주동에 천불천탑으로써 장안분야의 기운을 누르는데 그 원인으로인한 경세록 일편을 지어 세상 사람들에게 경계하게 함이 있으니 행여 분별이 없는 사람의 말이라고 아첨하지 말 것이며, 이 그림과 글을 보아서 葬家[89]의 표준으로 삼으면 잃어버린 바가 없을 것이다.

---

89) 풍수지리학을 공부하는 가문

凡水法者는 一行本意가 滿山人骨葬하야 汚穢山氣하면 以減人材故로 做出雜家五行胞胎法하야 專務惑誣하니 則其理가 其然하고 否然하니 一行은 則地理家之罪人이라 其於葬家는 切勿用水法五行하고 以本體五行으로 爲主하야 以尋龍捉脈과 得局占穴과 審砂察水에 爲正規而葬이면 無可見敗리니 故로 略陳于左한다.

무릇 수법이라는 것은 일행의 본뜻이 만산에 인골을 장하여 산천의 기운을 더럽게 하면 인재가 감소될 것인 고로 잡가오행 포태법을 지어내 놓으니 전적으로 세상을 어지럽게 한즉 그 이치가 그러한 것 같기도 하고 그렇지 않은 것 같기도 하니 일행은 지리가지죄인이라.

장가에서는 수법오행을 절대로 쓰지 말고, 본체오행으로 위주하여 용을 찾고, 맥을 찾고, 득국 점혈과 사격을 살피고 물을 살피는데 정법의 규칙대로 묘를 쓰면 패하지는 않을 것이다. 고로 좌측에 대략적으로 기술한다.

東西南北亦未定位

純陰　　　無極　　　太極

先天河圖

二兌	一乾	五巽
三離		六坎
四震	八坤	七艮

乾坤合九
艮兌合九
震巽合九
坎離合九

　形如鷄卵**하고**　含包五行陰陽**하니**　萬物而各未成形**하고**　數亦未成十**하여**　而但用九**하고**　有運行自然之理故**로**　無爲而化**니라.**
　無極**이**　一動**하여**　而生太極**하고**　太極而　一動**하야**　生兩儀**하고**　兩儀一動**하야**　而生四象**하며**　四象**이**　一動**하야**　而生五行**하고**　五行**은**　化生萬物**하니라.**

　형상이 마치 계란과 같아 음양오행을 함의하고 있으나 만물이 각각 아직 형상을 이루지 아니하였고, 수 또한 완전체인 10을 이루지 못하였다. 다만 9를 사용하여 자연이 이치를 운행하는 고로 無에서 化하게 되느니

라. 무극이 한번 동하여 태극을 낳고, 태극이 한 번 동하여 양의를 낳고, 양의가 한 번 동하여 사상을 낳고, 사상이 한 번 동하여 오행을 낳고, 오행은 만물을 낳게 된 것이다.

純陽　　太極　　太陽

後天洛書

四巽	九離	二坤
三震	五	七兌
八艮	一坎	六乾

乾巽合十

坎離合十

艮坤合十

震兌合十.........子午卯酉爲旺位

　兩儀는 陰陽也오 陰陽이 始判에 以五行으로 化生萬物하야 各成其形하니 天地爲正位하고 而以子午卯酉로 定其四正하고 以乾坤艮巽으로 爲其四維하고 以寅申巳亥로 爲四生하고 以辰戌丑未로 爲四庫하며 數亦成十이니라.

　양의는 음양이요, 음양이 비로소 구별되고, 오행으로서 만물을 생산하여 각기 그 형상을 이루니 천지가 바로 서게 되었고, 자오묘유로 사정이 되고, 건곤간손은 사유가 되고, 인신사해는 사생이 되고, 진술축미로 사고장이 되었으며, 數 역시 온전한 성수인 10이 되었다.

　前師方書畵圖中에 但言龍之貴賤하고 不言龍之行度하며 但言過峽之美惡하고 不言過峽之規模하며 但言穴之眞假하고 不言穴之性氣하야 則後之學者 模糊此理하니 可不惜哉아

앞선 선사의 글과 그림 중에는 다만 용의 귀천을 말하였고, 용이 행도를 말하지 아니하였으며, 과협의 미악은 말하였으나 과협의 규모는 말하지 아니하셨으며, 다만 혈의 진가는 말하였고, 혈의 성기는 말하지 아니하였으니 후대의 학자는 이러한 이치가 모호하니 애석하지 아니하겠는가!

2장 理 氣

運行曰理오 成形曰氣라 故로 曰 理與氣不相離하고 不相雜하니 其外에 所謂水法理氣者는 眩人耳目하니 切勿用焉하라

운행하는 것은 理라고 하고, 형을 이루는 것은 氣라고 한다. 고로 理와 氣는 서로 떨어질수도 없는 것이고, 서로 섞일수도 없는 것이니 그 외에 수법이기는 사람의 눈과 귀를 현혹하게 하니 절대 써서는 아니 된다.

3장 五 行 論

水火金木土爲五行은 而非以文字爲言이오 以山脈形體로 爲法이 萬古不易之大綱也니라 盖論形體컨대 水曲火尖木直金圓土方矣니 於斯에 辨其相生相剋하야 爲吉凶하라

수화금목토는 오행이 되나 문자로써 말할 수 있는 것이 아니요, 산맥형체의 법이 되는 만고불역의 대강이다. 일반적으로 형체를 논하건대 水는 曲하고, 火는 尖하고, 木은 直하고, 金은 圓하고, 土는 方이니 이것으로 상생, 상극의 길흉이 됨을 변별한다.

4장 陰陽

先陰後陽者는 先天後天也라 陰極陽生하고 陽極陰生하니 束氣爲脊者
는 陰이오 布氣坦者는 陽이오 直者陰曲者陽이오 靜者陰動者陽이오
伏者陰起者陽이오 狹者陰廣者陽이니 審此老陰老陽少陰少陽孤陰孤陽
之形이니라.

선음후양은 선천후천을 말한다. 음이 지극해지면 양이 생기고, 양이 지극
해지면 음이 생기니, 속기는 脊이 되는데 음이요, 기가 넓게 펼쳐지는 것
은 양이요, 직은 음이요, 곡은 양이요, 정은 음이요, 동은 양이요, 복은 음
이요, 기는 양이요, 협은 음이요, 광은 양이니 이것으로 노음, 노양, 소음,
소양, 고음, 고양의 형체를 살핀다.

何以謂老陽고 陽極而無陰曰老陽이오
何以謂老陰고 陰極而無陽曰老陰이라.
何以謂少陽고 陰極生陽曰少陽이오
何以謂少陰고 陽極生陰曰少陰이라.
何以謂孤陰고 陰之本身이 孤單하고 旁亦無衛抱化陽을 曰 孤陰이라.
何以謂孤陽고 陽之本身이 孤單하고 亦無旁陰을 曰 孤陽이라.
陰陽無窮故로 出山에 先思陰陽二字니라.

어떤 것이 노양인고? 양이 지극히 크나 음이 없는 것이 노양이요,
어떤 것이 노음인고? 음이 지극히 크나 양이 없는 것이 노음이요,
어떤 것이 소양인고? 음이 지극히 크고 양을 생기는 것이 소양이요,
어떤 것이 소음인고? 양이 지극히 크고 음이 생기는 것이 소음이요,
어떤 것이 고음인고? 음의 본신이 고단하고 음옆에 또한 양으로 화하여
서 보위해주는 것이 없는 것이 고음이요,

어떤 것이 고양인고? 양의 본신이 고단하고 또한 양옆에 음이 없는 것이 고양이라

음양은 무궁한 고로 산에 출행할 때에는 먼져 음양 두글자를 마음에 새겨야 하느니라.

5장 砂水論

砂者는 先以龍虎로 爲證한데 皆山旁出脚者也라 水者는 骨肉間流去者
也라 砂水도 本一家之物故로 砂曲則水亦廻之하고 砂反則水亦反之矣
니라 山運進退와 山氣聚瀉는 惟水能之라 可不審哉아 下水砂逆水廻頭
則穴之自聚하고 下水砂隨水急走則穴氣도 亦瀉니라.

  사격은 먼저 용호로서 증거 삼는데 모두 산의 좌우에서 나온 脚90)이
다. 水라는 것은 골육 사이에 흘러가는 것이라. 砂水도 본래 一家의 物
件인 고로 砂가 굴곡이 되면 물 역시 도는 것이고, 砂가 반배로 되면
물 역시 반배로 되는 것이다. 山運의 진퇴와 山氣의 모이고 흩어지는
것은 水가 능히 그러한지라 어찌 살피지 아니하겠는가! 下水砂가 물을
역으로 거두고 회두하면 혈이 스스로 모이고, 下水砂가 물을 따라서 순
수로 급히 가버리면 혈기도 역시 흩어지느니라.

6장 過峽規模

護送龍身之物也라 過山而來過度跌斷處를 曰 過峽이라 峽者는 挾也
로 開肩生砂
成峽하야 挾補龍身하며 如項伯이 起舞하고 翼蔽沛公者也라
是以로 有單迎送과 雙迎送과 交互迎送하니 其爲規模也라

*挾: 낄 협

  용을 따라서 오는 용신의 물건이다. 지나가는 산이 질단처를 넘어오는

---

90) 용에서 나간 지각을 쓸 때는 이 脚을 쓴다. 혈장에서 나간 지각은 이 角을 쓴다.

것을 과협이라 한다. 峽은 감싸는 것이다. 양쪽 어깨를 열고 좌우 팔이 생겨 峽을 이루는데 용신을 끼고 보호하며, 마치 항백[91]이 일어나 춤을 추고 폐공[92]을 날개로 가린 것과 같다. 이런 까닭으로 하나의 영송이 있고, 여러개의 영송이 있고 서로 감싸주는 영송이 있으니 그것이 규모가 된다.

護送龍身者而其大綱은 都是防風避水之理오 而美惡이 果如此하니
峽之跌斷處에 若値風吹하면 則氣不能接續하고 又逢水劫하면 則脈不
能牽連하니 豈可成龍結穴乎아 是以로 龍之性命이 都係於入首一峽이
라 名曰 龍之性命關이니 非峽이면 不能辨其龍之眞假니라.

용신을 소조산부터 따라와 호송하는 것의 대강은 바람을 막고, 물을 피
하는 이치요, 아름답고 추함이 과연 이와 같으니 과협이 질단처에 만약
풍취하게되면 기는 능히 접속할 수 없고, 또 수겁을 만나면 맥은 능히
끌고 가지 못하니 어찌 용을 만들고, 혈을 맺을 수 있겠는가! 이런 까닭
으로 용의 성질과 운명이 入首一峽에 매어 있다. 이름하여 용지성명관이
라 하고 峽이 아니면 龍의 眞假를 능히 변별할 수 없는 것이다.

7장 龍行度

山氣之變化難測을 曰 龍之行度也오 辭樓下殿이 不遠千里而來한데
離祖換宗이 豈可中途而止리오 一起一伏하고 有過峽而包之하며 逶迤
屈曲하고 更爲跌斷하야 束氣則此是變化니라.
若非陰陽交承之理면 豈有胎息孕育之道乎아 始分曰胎오 降伏曰息이오
成形曰孕이오 融結曰育이라 其祖宗山이 聳拔尖秀者는 貴龍也오 方圓
厚者는 富龍也라 束氣後에 復結咽하고 結咽後에 起巒頭則乃生穴場이
니라.

산기의 변화를 측정하기 어려운 것을 용의 행도라 한다. 사루하전이 불
원천리하여 온 것인데 태조산에서 분리되어 종산으로 박환하는 것이 어
찌 중도에 그칠 수 있으리오! 一起一伏하고 과협이 있어 종산을 감싸고
위이굴곡하고 다시 질단의 속기가 만들어지면 이것이 곧 변화이다. 만약
음양이 서로 교구하는 이치가 아니라면 어찌 태.식.잉.육의 도가 있으리

오! 分이 시작된 것이 胎요, 락맥하여 엎드린 것이 息이요, 形이 이루어
진 것이 孕이요, 융결한 것이 育이다. 조종산이 높이 솟고 뾰쪽하면서
빼어나면 貴龍이요, 네모나고, 둥글고 후부하는 것은 富龍이라 한다.
속기 후에 다시 결인하고, 결인 후에 다시 만두가 우뚝 솟으면 혈장이
만들어진다.

8장 穴性氣

穴者는 地氣發生之孔으로 名氣口한데 則其性氣也라 最怕風吹水劫故로 防風避水而結焉이니라.

窩鉗乳突四象은 乃穴之母니라 窩是太陽이오 鉗是少陽이오 乳是少陰이오 突是太陰인데 凡穴은 皆從四象中出來故로 有母子相依之道니라 然이나 各有九變하야 爲三十六格이로다.

혈이란 지기가 발생하는 구멍으로 이름하여 氣口라 한데 즉 性氣라 한다. 가장 두려워한 것은 풍취수겁인 고로 방풍피수함으로서 결혈을 한다. 와겸유돌 사상은 혈의 어머니이다. 窩는 태양이요, 鉗은 소양이요, 乳는 소음이요, 突은 태음인데 무릇 혈이란 것은 모두 사상 중에서 나오는 고로 母子가 서로 의지하는 도리가 있는 것이다. 그러나 각각 9번 변화하는 바가 있어 36격이 된다.

盖穿山脈이 高則暈亦高出하야 其氣吐而呼爲浮를 曰 土縮이니 少陰也오 穿山脈이 低則暈亦低出하야 其氣呑吸爲沈을 曰羅紋이니 少陽也라.

然則其性이 怕風故로 先送龍虎하야 以防其風하고 其氣怕水故로 先分八字하여 以界其水하고 而氣從中聚結하고 又從下合之故로 氣不瀉焉하니 是故로 上分者는 八坤地로 坤儀也오 下合者는 一乾天으로 乾儀也니 先陰後陽之理도 分明于此하야 陰極陽生하고 陽極陰生이 昭然在此로다.

대개 천산맥이 높으면 훈 역시 높은 곳에서 나오고, 그 氣는 吐하고 내쉬어 뜨게 되니 이것을 일커러 土縮이니 이것이 少陰이요, 천산맥이 낮으면 훈 역시 낮게 나오고, 그 氣가 삼키고 흡입하여 沈하게 되니 이름하여 羅紋이고 少陽이다. 그런즉 그 성질이 바람을 두려워하는 고로 먼저 청룡, 백호를 보내어 그 바람을 막고, 그 氣는 水를 두려워하는 고로 먼저 八字로 分開하여 그 물을 경계를 지어 氣는 그 가운데에 모여 혈을 맺고, 또한 아래에서 下合하는 고로 氣가 누설되지 아니하니 이런 까닭으로 上分은 八坤地로 坤의 움직임이요, 下合은 一乾天으로 乾의 움직임이다. 먼저 선음후양의 이치도 분명하여 陰이 지극히 커지면 陽이 생하는 것이고, 陽이 지극히 커지면 陰이 생기는 것이 환히 나타나 여기에 이치로 존재하는 것이다.

穴法은 雖然이나 各家規模亦有異稱故로 或曰乘金相水穴土印木이라하고 或曰上枕毬簷하고 下對合襟이라하고 或後倚前襯 或曰臨頭合脚 或曰帶褲帶裀이라한데 其言이 雖殊나 其理는 一也라 何用更煩이리오 詳看精氣聚處면 則蟬翼燕翼이 包于兩傍하고 蟹眼蝦鬚水分于兩邊하야 交會于堂者가 是穴場이니라.

혈법은 비록 그러하나 각 집안의 규모 역시 다르게 부르는 별칭이 있는 고로 혹 승금, 상수, 혈토, 인목이라하고, 혹 상침구첨이라하고 하대합금이라하고, 혹 후의전친이라하고 혹 임두합각이라하고 혹 대욕대인이라하는데 그 말이 비록 다르더라도 그 이치는 하나이다. 어찌 번잡하게 다시 사용하겠는가! 정기가 뭉쳐있는 곳을 자세히 봐보면 선익, 연익이 양쪽을 감싸고, 해안, 하수수가 양변으로 나눠져서 소명당에서 서로 만나는 것이 바로 혈장이다.

雖曰無疑나 亦有邊生邊死之理하고 又有左減右饒와 右減左饒之形하며 或股明股暗하고 呑吐浮沈之稱하니 可不愼哉아 是故로 葬乘於氣오 不葬於脈이니라.

비록 의심할 바는 없으나 또한 한 변이 살아 있으면 한 변은 죽는 이치가 있고, 또한 좌감우요의 형상이 있고, 혹 고명고암과 탄토부침이라 부르는 것이 있으니 가히 삼가지 않겠는가! 이런 까닭으로 매장함에는 생기를 타야되고, 맥에는 묘나 집을 짓지 말아야 되느니라.

9장 脈 格

脈者는 接續龍氣而出者也라. 龍者는 左右發足하야 屈曲透迤起伏을 謂之龍이오 脈者는 似龍身而無枝脚細嫩者를 謂之脈인데 其形如老幹生芽하고 如生蛇渡江은 此是生脈이오 太長則氣嫩하고 直則氣死하고 廣則氣衰하고 麤則氣惡하고 太生則氣驚하니 善察此氣니라.

*嫩: 게으를, 엎드릴 난
*麤: 거칠, 결이 매끄럽지 않을, 대강, 대략 추

맥이란 것은 龍氣와 접속되어 나오는 것이다. 龍이란 것은 좌우의 다리처럼 뻗어 나와 굴곡위이하고 기복하는 것을 龍이라 말하고, 脈이란 것은 龍身과 비슷하면서 지각이 없으면서 부드럽고 야들야들한 것이 맥이라 하는데 그 형상이 마치 늙은 幹龍에서 새싹이 나오는 것과 같고, 살아 있는 뱀이 강을 건너는 형상으로 이것이 바로 生脈이다. 너무 길면 氣가 게으르고, 곧게 뻗어 버리면 氣가 죽어 버리고, 넓으면 氣가 쇠하고, 거칠면 氣가 惡하고, 太生[93]하면 氣가 놀라니 이러한 기를 잘 살펴야 된다.

---

93) 太生이란 용맥이 미쳐 날뛴 것처럼, 혹은 불판 위에 올려진 낙지처럼 지나치게 꾸불꾸불 생긴 것을 말한다.

10장 束氣格

束氣者는 跌斷下에 再起精神하야 剝換氣像이 如老翁抱幼孫이라.

속기는 질단 아래에 다시 재기정신하는 것인데 이러한 것이 박환인데 그 박환의 기상이 마치 늙은 노인이 어린 손자를 껴안고 있는 것과 같은 것이다.

11장 結咽

束氣之微細를 曰 結咽이니 如人之咽喉也라.
此項을 謂之入首一峽하니 故로 曰 性命關이니 龍之性命이 都係于此故로 但看到頭一節이니라. 使水로 分于兩邊者를 謂之骨肉水니 何者오? 兄弟姉妹가 同受父母骨肉하야 分去故로 抱我者는 謂之骨肉正配오 背我者를 謂之客이니라.

속기가 아주 좁고, 가늘게 묶은 것을 결인이라 말하니 마치 사람의 인후와 같은 것이다. 이 항은 입수1협을 말하는 고로 성명관이라 한다. 용의 성명이 여기에 매여있는 것이다. 고로 단지 到頭1節만 보는 것이다. 물로 하여금 양변으로 나누어지는 것을 骨肉水라 하니 무엇을 골육수라 말하는 것이요? 형제자매가 같은 부모로부터 골육을 받아 나눠져서 가는고로 나를 감싸는 것을 골육의 옳바른 배합이라하고, 나를 배반하는 것을 客이라 한다.

陽我者는 謂之穴也니 此項에 出脈을 或曰 銀釘이라하고 或曰 瓜 蔕
라하고 或曰懸鍾索이라하고 或曰 樞太極이라하니라 樞者는 開 闔之神
功이요 極者는 坦開如金環이니 謂陰陽交承이니라.

*瓜: 오이 과/ 蔕: 줄, 산수국 고(眞蔕: 참외)/ 瓜와 蔕는 같이 쓴다.

나에게 빛을 주는 태양처럼 하는 것을 혈이라 하니 이 항목에서는 出
脈을 혹 은정이라 말하고, 혹 과체라 말하고, 현종색이라 말하고, 혹 추
태극이라 말한다. 추는 개벽의 신공이요, 극은 평탄하게 여는 것이 마치
금 고리처럼 된 것이니 이것을 말하여 음양교승이라 한다.

12장 巒 頭

有五格하니 方圓曲直尖이라 而尖巒은 本無穴이오 曲者는 平也니 大
穴은 多藏于平巒下矣니라.
巒頭者는 穴之頭로 如人之有頭首하야 以圓正爲上이니라.

5격이 있으니 방, 원, 곡, 직, 첨이라. 뾰쪽한 만두는 본시 無穴이요, 곡
은 평평하니 대혈은 평평한 만두 아래에 많이 감춰져 있는 것이다.
만두라는 것은 혈의 머리로 마치 사람의 두상과 같은 것으로 둥글고 바
른 것이 상격이 된다.

13장 龍 虎

龍虎者는 卽抱裹穴身之物로 分其左右하야 以爲防風避水로如人之股肱護身이니라. 又有陰砂하니 名曰 蟬翼이니 輕薄貼身而오 大曰燕翼이니 微付傍身하니 龍虎之內에 又有龍虎者라.

용호는 穴身을 감싸주는 物이다. 좌우로 나뉘어서 바람을 막고, 물을 피하게 하는 것인데 마치 사람의 다리와 팔뚝처럼 몸을 보호하는 것과 같은 것이다. 또한 陰砂가 있으니 이름하여 선익이니 가볍고 얇게 몸에 붙어 있는 것이요, 큰 것은 연익이니 몸 옆에 아주 보일 듯 말 듯 붙어 있는 것이니 龍虎의 안에 또 용호가 있는 것이다.

14장 封 疆

以封疆之大小로 知穴之大小니라.
封疆者는 封其疆界也라 或以龍虎로 有封者하고 或以十里五里로 有封者하며 或以百里數百里로 有封者하니 各隨龍之力量大小하야 封之者也라 是故로 垣墻에 有城郭이 是也니 如人之藩籬垣墻也니라

*封: 봉할 봉
*疆: 지경, 끝, 한계, 밭두둑 강
*垣: 담, 관청, 별이름 원
*墻: 담, 경계 장
*藩: 덮을, 바자울타리, 지킬, 수레의 휘장 번
*籬: 울타리 이(리)

봉강의 대소로 혈의 大小를 안다.

봉강이라는 것은 封의 경계이다. 혹 龍虎로서 봉하는 것이 있고, 혹 10
리, 5리로 봉함이 있고, 혹 100리, 數100리로 봉함 받은 것이 있으니
각각의 용의 역량의 대소를 따라서 그것을 봉함을 받는 것이다. 이런 까
닭으로 담장에 성곽이 있다는 것이 바로 이것이니, 사람의 울타리 담장
과 같은 것이니라.

15장 局 勢

> 局勢者는 龍虎兩抱圓滿하야 能成一局者는 小也오.
> 外龍虎城垣이   圓滿作局者는 大也라. 是故로 局者는 如海龍이 得大
> 海하야 任意屈伸이니 無局은 無龍이니라.

국세라는 것은 용호 양쪽을 원만하게 감싸서 능히 하나의 局을 이루는
것은 작은 것이요, 외청룡, 외백호가 성처럼 빙 둘러 있는 담장이 원만
하게 局을 이루는 것은 큰 것이라. 이런 고로 局이란 것은 마치 海龍이
大海를 얻어 임의적으로 굴신한 것과 같으니 無局이면 無龍이니라.

16장 明 堂

> 山開曰明이오 水廻曰堂이니라 堂者는 衆水聚會曰堂인데 亦以圓滿平
> 正으로 爲吉이니라 故로 無堂이면 無穴이오 傾斜敧側은 非堂이니 不
> 取也라. 堂有二說하니 天子將朝諸侯에 大開明堂하고 後立玄武旗 하
> 고 前揷朱雀旗하고 左有靑龍旗하고 右立白虎旗하니 其儀如此니라.

산이 개장한 것을 明이라 하고, 물이 돌아와 감싸는 것을 堂이라 한다.

堂이란 것은 모든 물들이 모이는 것을 堂이라 하는데 역시 원만하고 평평하고 바르게 생겨야 길한 고로 堂이 없으면 穴이 없는 것이요, 기울어지고 삐뚤어지는 것은 堂이 아니니 취할 바가 아니다. 堂에는 2가지 설이 있는데 천자가 제후를 조회함에 명당을 크게 벌리고, 뒤에는 현무의 깃발을 세우고, 앞에는 주작의 깃발을 꽂아세우고, 좌측에는 청룡기를 세우고, 우측에는 백호기를 세우니 그 예의 풍속이 이와 같다.

17장 橫落作穴法

橫者는 龍之直落而轉身回坐者也니 有鬼有樂山이니 穴後生砂를 謂之鬼오 穴後他山特立近立者를 謂之樂이오 龍虎左右生砂는 謂之曜星하고 案外有峯을 謂之官星이오 水口雙立峯은 謂之捍門하고 獨立峯을 謂之華表니라.

횡이란 것은 龍이 直落하여 몸을 돌려서 앉은 것이니 귀성과 락산이 있어야 하니 穴後에 생긴 砂를 鬼砂라 말하고, 穴後에 다른 山이 가까이 특립하는 것을 樂山이라 말한다. 용호 좌우에 생긴 砂는 요성이라 말하고, 안산 밖의 봉우리가 있는 것을 관성이라 말하고, 수구에 쌍립한 봉우리를 한문이라 말하고, 독립봉을 화표라 말한다.

18장 氣 影

氣者는 脈氣之牽引行止之中에 亦有生死鬼劫驚殺衰病之氣하고 又有
旺盛繁連之氣하고 又有幽暗明朗之氣하니 善觀氣者는 能察影이니라.
影者는 乃穴場上에 隱隱融融微微妙之影也니 乍看則有나 久看則無하고
坐看則有나 立看則無하고 細人이 看則有나 粗人이 看則無하니 正所謂
略略高些子(者?)는 名曰土縮으로 少陰也오 低些子(者)는 名曰羅紋으
로 少陽也니라

*繁: 많을, 번거롭다, 번성할, 자주, 무성, 뒤섞일 번
*乍: 잠깐, 갑자기, 짓다 사

氣라는 것은 脈氣를 견인하여 행하고 그치는 중에 생.사.귀.경.살.쇠.병의
氣가 있고, 또 왕성하고 번연의 기가 있고, 또 유암, 명랑의 기가 있으
니, 기를 잘 살피는 사람은 능히 影을 살필 수 있다. 영이란 것은 혈장
위에 은은융융미미 묘한 그림자이니, 잠깐 보면 보이나 오래동안 보면
없고, 앉아서 보면 있으나, 서서 보면 없고, 정밀한 사람이 보면 있으나,
대충 대충한 사람이 보면 없으니 올바르게 말하면 약간약간 높은 것이
토축이요, 소음이다. 낮은 것은 나문인데 소양이라 한다.

穴面上에 地紋이 漸漸微突者는 土縮也요. 穴面上에 地紋이 漸漸微
低者는 羅紋也인데 摠是太極이니라. 龍者는 山氣變化者也며 脈者는
接續龍氣而牽引者也라.
氣者는 以龍脈之發現於外者也오 形者는 得脈與氣하야 精細美惡之狀
으로 成形者也니 影者는 若氣不聚면 形不成則影不出焉이니라.

혈면상에 지문 기리쇄개가 점점 약간 돌출된 것은 토축이요, 혈면상에

지문 기리쇄개가 점점 낮아지는 것을 나문인데 이것 모두를 태극이라 한다. 龍이란 것은 山氣의 변화이며, 脈이란 것은 龍氣를 접속하여 견인한 것이다. 氣라는 것은 용맥이 밖으로 드러난 것이요, 形이란 것은 脈과 氣를 얻어 정세미약의 형상으로 형을 이룬 것이니, 影이라 것은 만약 氣가 모이지 아니하면 형상이 이루어지지 아니하고 , 형상이 형성되지 아니하면 影이 나오지 아니한다.

19장 看 山 法

看山之法이 先看山面向背하라 向者는 開面하니 開面則化陽故로 物物方暢하고 背者는 負背라. 負背則毒陰故로 物物未長이라 是以로 取其開하고 不取其背니라 亦有八面하니 移步換形이니라

간산하는 법이 먼저 산의 면과 향, 배를 봐야 하니라. 向이란 것은 개면이니, 개면하면 化陽하는 고로 물물이 방창하게 되고, 背라는 것은 등에 짊어진 것처럼 된 모양새를 말하고, 負背는 毒陰인 고로 물건이 자라지 못하니라. 이런 까닭으로 개면을 취하고, 배는 취해서는 아니 된다. 또한 산의 면에는 8면이 있으니 발걸음을 옮김에 따라 형상이 바뀌게 된다.

云호대 一山이 開面正立하면 衆山輻湊拱衛하야 使風으로 不敢觸하고 使水로 不敢劫하니 然後에 龍自其中出이오 脈自龍中出하며 氣自脈中出하고 形自脈氣中出하며 影自形中出하니 察此五者則盡矣라. 謂貴龍者는 辭下龍樓鳳閣하야 穿出御屛錦帳而來하고 其次는 自介入中來하니 無此格而來者는 不過壟岡이니라.

*輻: 모여들 복
*壟: 언덕 농
*湊: 모일 주
*岡: 산등성이, 언덕 강

운호대 하나의 산이 개면하고 바르게 서 있으면 모든 산들이 모여들어 서로 호위하고 받들게 되고, 바람으로 하여금 감히 접촉하지 아니하게 하고, 물로 하여금 감히 겁하지 아니하게 하고, 그런 연후에 용은 스스로 그 가운데에서 나오고, 맥은 스스로 용 중에서 나오고, 기는 스스로 맥 가운데에서 나오게 되고, 형은 맥기 중에서 나오고, 영은 형 중에서 나오니 이 다섯 가지를 살피는 것에 진력을 다해야 한다.

귀룡이라고 하는 것은 사루하전, 용루봉각하야 어병금장을 뚫고 나와서 오고, 그 다음은 介字 중심을 뚫고 들어오니 이러한 격이 없이 오는 것은 농강에 불과한 것이다.

20장　看山口訣

盖帳不開면 龍不棲요 束咽不細면 氣不聚니라.
嫩暈不伏은 穴不住요　泥丸不滿에 精不凝니라.

대개 장을 열지 아니하면 용이 깃들지 아니하고,

속인이 가늘게 묶지 아니하면 기가 모이지 아니 하니라.

야들야들한 훈이 伏하지 아니하면 혈이 머물지 아니하고,

니환이 꽉 차지 아니하면 정기가 모이지 아니하니라.

穿山脈이 太高하면 則氣從上傾下하야 氣口가 反出脚下니 氣口는 穴
也요. 脈者는 即穿山脈이니 此在性命關이요 即結咽處故로 先師曰但
看到頭一節하라하니 此處에 若置風水劫則穴不結焉이오

脈太低則其氣가 上昇하야 氣口가 直出頂上이오

脈不高不低洽94)中하면 則氣口가 亦出洽中이오.

脈左면 則氣亦從左而穴左하야 水來右하고

脈右면 則氣亦從右而穴右하야 水來左하니

*洽:윤택할,합할,넉넉할 흡
*洽: 윤택할, 화할 협

천산맥이 지나치게 높으면 기는 위에서부터 비스듬히 아래로 내려와 기구가 오히려 각 아래로 나오니 기구는 혈이다.

맥은 천산맥이니 이것은 성명관에 있고, 곧 결인처인 고로 선사가 말하길 단간 도두일절하라 하니 이곳에 만약 풍취수겁하면 혈이 결혈하지 아니하는 것이요,

맥이 지나치게 낮으면 그 기가 상승하여 기구가 곧게 정상으로 나오고,

맥이 높지도 않고, 낮지도 않고 흡중하면 기구가 역시 중심에서 나오고,

맥이 좌측에 있으면 기 역시 좌측을 따라서 穴左하야 물은 우측으로 오고, 맥이 우측에 있으면 기 역시 우측을 따라서 穴右하야 물은 좌측으로 온다.

---

94) 中和를 의미

若靑龍水가 來右則水纏**이면** 便是山纏**이니** 以有靑龍**으로** 相對**하니** 白虎
도 亦然**하다.** 穴法**에** 母子相生**하고** 子母相依**하니** 母爲土**하고** 子爲金
이면 此는 母生子**이요** 母爲水**하고** 子爲金**이면** 此는 母依子**니라.**

*依: 의지할, 힘이 될 의

만약에 청룡수가 우측에서 와서 물이 감싼다면 산이 감싼다고 하는 것
이니 청룡으로 상대하니 백호도 그러하다. 혈법에 母子가 상생하고, 子
母相依가 있으니 母가 土이고, 子는 金이면 이는 母生子이고, 母가 水
이고, 子가 金이면 이는 母依子이니라.

21장 龍 脈 氣 形 影

龍有變化然後**에** 脈有精細**하고** 脈有精細然後**에** 氣有明朗**하고** 氣有明
朗然後**에** 形有各成**하고** 形有各成然後**에** 能生影者**하니** 此是地面**에** 隱
隱融融微微妙妙**하야** 氣誠**을** 可難言**이나** 然**이나** 善觀氣者**는** 能察影者
하니 影是羅紋土縮**이라** 故로 指畧畧些于物**이니라.**
造化神功**이** 在於觀星占局**이나** 然**이나** 自漢唐宋明以來**로** 知之者**가** 鮮
矣**라** 故로 世無傳焉**이니라.**

*鮮: 적을, 고울, 뚜렷할, 깨끗할 선

龍은 변화가 있은 연후에 脈이 정세함이 있고, 脈이 정세한 연후에 氣
가 명랑함이 있고, 氣가 명랑한 연후에 形이 각각 이루어짐이 있고, 形
이 이루어진 후에 능히 影이라는 것이 생기니, 이러한 地面에 은은융유

미미묘묘하야 氣를 실로 가히 말하기 어려우나 그러나 氣를 제대로 살피면 능히 影을 살필 수 있으니 影이란 본시 나문토축이다. 고로 간략하게 이것을 물형으로 지시하여 준 것이다. 조화신공이 별을 관찰하고, 국을 측량하는데 있으나 그러나 한.당.송.명 이래로 아는 자가 적었다. 고로 세상에 전해진 바가 없었다.

余自上國返鄕時에 遇一老人於太白山下하야 同宿一夜에 情誼繾綣하야 說話山水性理한대 無不符合이라 問其禍福하니 曰 都在觀星占局이라하니 余亦曾未知라 故로 詳問其條理하야 而編次於下하다.

*誼: 옳을, 의논할, 다스릴 의
*繾: 곡진할 견
*綣: 정다울, 털가죽 목도리, 다발로 묶을 권

내가 상국에서 고향으로 되돌아올 때에 태백산 아래에서 한 노인을 만나 하루밤 같이 묵으면서 그 정이 깊어지고 산수의 성정과 이치를 서로 주고받고 하는데 부합되지 아니한 것이 없었다. 화복에 대해서 물으니 대답하기를 모든 것이 별을 살피고, 국을 헤아리는 것이라 하니 내가 일찍이 알지 못하였다. 고로 조항과 이치를 자세하게 물어서 아래에 엮어 놓았다.

假令純木이면 無穴이니 金星이 傍立制之하고 土星이 又助之則木枝가 變爲水體하야 而作穴하니 當占水土局하고 純水星이면 亦無穴이니 土星이 左右列立하야 相制相救則水派가 變爲木枝하야 而傍生芽穴이니 當占三八局하고 純金이면 全無穴이니 火星이 爲祖爲朝則遇火成器니 而若無此則以二七火局爲用이면 方成器니 成器則有聲有發이니라. 非但以純金으로 論之라 鉋金도 亦然하니 如此星下에 以一六水局으로 占穴이면 永無發應하니 餘皆倣此하라.

가령 純木이면 無穴이니 金星이 옆에 서서 제지하고 土星이 또한 金星을 도와주면 木의 가지가 변화해서 水體가 되어 作穴하니 마땅히 水土局을 만들고, 순수한 水星이면 역시 無穴이니 土星이 좌우에 벌려있어 서로 억제하고 구제하면 水波가 변하여 木枝가 되어 옆에서 새싹의 혈이 생기는 것이니 마땅히 三, 八木局을 점하게 되고, 순수한 金星이면 아애 혈이 없으니 火星이 祖山이 되고, 朝山이 되어 火를 만나 그릇이 이루어지니 만약에 이것이 없으면 二, 七火局으로서 쓰면 그릇을 이루수 있으니 成器가 되면 發聲하게 된다. 비단 純金만으로 논할 것이 아니라 金이 꽉 찬 것도 그러하니 이와 같은 별 아래에 一, 六 水局으로서 점혈하면 영영 발응이 없을 것이니 나머지도 미루어 짐작하라!

觀其變化하야 而不違其性하고 而占局則無不發福하리라

惜乎라. 一行이 以減才之意로 燒其三師所著眞妙大法文하야 故로 世無傳焉하니 時師 不知此法하고 但以分金之說로 紛紜則豈可稱道中節乎아! 穴場上의 影者는 卽指羅紋土縮也라 羅紋則地面이 略略爲低些者로 其形이 沈하니 名曰仰掌故로 爲少陽穴이니라. 土縮則地面이 略略爲高些者故로 其影이 浮하니 名曰 伏掌故로 爲少陰穴이니라.

*紛: 어지러워질, 섞일 분
*紜: 어지러워질 운

그 변화를 관찰하면 그 성질이 위배되지 아니하면서 局을 점유하면 발복하지 않는 것이 없다. 애석하구나! 一行이 인재를 감소의 뜻으로 三師의 저서인 참으로 신묘하고 큰 법문을 불태운 고로 세상에 전함이 없으니 지금 풍수들은 이 법을 알지 못하고, 다만 分金之說로 어지러워지니 어찌 가히 풍수의 도가 중도에 적절했다고 칭할수 있겠는가!
혈장상의 影은 나문, 토축을 일컫는 것이다. 나문은 지면이 약간 낮고 그 형상이 가라 앉으니 이름하여 앙장이라 하는 고로 소양혈이 된다. 토축은 지면이 약간 높은 고로 그 影이 떠 있으니 이름하여 복장이라 하는 고로 소음혈이 된다.

葬其浮沈之氣하고 不葬於貫來之脈은 何以言之오 直脊이면 爲殺하고 完突이면 會毒故로 皆是不化 故로 知者는 棄之하고 不知者는 取之하니 若取之면 自取之滅亡하리니 可不愼哉아!

부침지기에 장하고 뚫고 내려온 맥에 장하지 아니한다는 것은 무슨 말이요? 直脊이면 殺이 되고, 完突이면 毒이 모인 고로 모두 化하지 않는 고로 아는 자는 그것을 버리고, 알지 못하는 자는 그것을 취하니 만약에 그것을 취하면 취하면서부터 멸망하게 될 것이니 가히 삼가해야 되지 않겠는가!

善觀氣者는 能察影하니 氣影之外에 占穴法이 在於何리오. 氣者는 動靜也오 影者는 氣之放光也니 占穴之法이 何難之有리오 都在分合也니라 上分이 不明則其來不眞하야 內無生氣之可據하고 下合不明則其止不眞하야 外無堂氣之可受니 詳看分合之明不明則眞所謂仙眼니라.

氣를 잘 살피는 풍수는 능히 影을 살필 수 있으니 氣影이외에 점혈법이 있으리오! 氣라는 것은 動靜이요, 影이란 것은 氣의 방출하는 빛이니 점혈지법이 어찌 어려움이 있으리오! 모두 分合에 있는 것이다. 上分이 분명하지 않으면 그 맥이 참되지 아니하여 그 안에 생기가 살 수 없고, 下合이 분명하지 아니하면 그 기의 멈춤이 참되지 아니하니 밖의 명당의 기운을 받을 수 없을 것이니 分合의 분명한 것과 분명하지 않는 것을 상세히 본다면 진실로 신선의 안목이라 말할 수 있느니라.

凡龍脈之氣不聚**면** 則上不分矣**오**. 精神不凝則下不合矣**라**. 聚而復分者**는** 化陽之意也**오** 分而復合者**는** 育陰之意也**니** 則豈非陰陽交媾之理耶**아**. 陰極而陽生**하고** 陽極而陰生 然後**에** 方生穴也**니** 雖云窩鉗乳突四象**이** 爲穴之母**나** 若無分合則豈有作穴之理乎**아**.
乘金相水穴土印木**과** 上枕毬簷下對合襟**이** 臨頭合脚各家之言**이** 雖殊**나** 理則一也**니** 更何他求**리오**.

무릇 용맥지지가 뭉치지 아니하면 위에 分이 아니 된 것이요, 정신이 엉키지 아니하면 合이 아니 된 것이다. 뭉쳐서 다시 分이 된 것은 化陽했다는 뜻이요, 分해서 다시 합하는 것은 陰을 기르는 뜻이니 어찌 음양 교구의 이치가 아니겠는가!
陰이 지극히 많아지면 陽이 생기고, 陽이 지극히 많아지면 陰이 생긴 연후에 혈이 생기니 비록 와겸유돌 사상을 말함이 穴之母나 만약에 分 合이 없으면 어찌 작혈의 이치가 있겠는가!
승금, 상수, 혈토, 인목과 상침구첨과 하대합금, 임두합각이란 각각의 풍수계의 말이 비록 단절되었다고 하나, 이치는 하나이니 다시 어찌 다른 곳에서 구할 수 있으랴!

占穴之時**에** 先看龍虎**하니** 龍虎短者**는** 以腮看**하고** 未及腮了不可穴**이오** 過腮도 亦不可穴**이니라** 龍虎長者**는** 以肘看**호대** 看穴肘者**는** 肱之兩曲處言之**라** 未及肘了不可穴**이오** 過肘도 亦不可穴**이니라**.
喜棲喜閃**은** 是吉龍**이오** 直來直受**는** 是病龍**이니라**.

점혈할 때에 먼저 龍虎를 봐야하니 龍虎가 짧은 것은 뺨을 봐야 하고, 아직 뺨에 미치지 못하였으면 혈이 아니고, 뺨을 지나가 버리면 역시 혈이 아니다. 龍虎가 긴 것은 팔꿈치를 봐야 하는데 혈의 팔꿈치를 보는 것은 팔뚝의 양곡처를 말하는 것이다. 팔꿈치에 미치지 못하면 혈이 아니요, 팔꿈치를 지나쳐도 역시 혈이 아니다. 제대로 와서 龍이 깃들고, 섬으로 살짝 빠져서 앉아 있는 것은 이것은 吉龍이요, 직래직수는 바로 이것이 病龍이다.

22장 饒減定穴

> 右山先到虎抱龍은 穴向左하야 饒龍減虎하고 左山先到龍抱虎는 穴向枕左하야 爲饒虎減龍하라.
> 水自右來從左出은 去右山이 逆水오
> 水自左來從右出은 去左山이 逆水라.

 우측의 山인 백호가 먼저 도달하여 청룡을 감싸 안은 것은 穴向左하여 靑龍을 여유롭게 하고 白虎를 감하고, 좌측 山인 청룡이 먼저 도달하여 백호를 감싸 안은 것은 穴向時 좌측으로 머리를 두어야 백호를 넉넉하게하고, 청룡은 감하게 된다.
물이 우측으로 와서 좌측으로 나가면 우측으로 가는 산이 역수요,
물이 좌측으로 와서 우측으로 나가면 좌측으로 가는 산이 역수이다.

<부록2> 용혈도서 주해

1. 盖法

> 此는 高山緩峽이 屬陽에 穴亦在緩이니 結脈象四法이라 暈間에 微
> 有脊은 乃少陰之象이니 大抵脈穴은 當取中定基이니라.

이는 고산완협이 양에 속하고, 혈 역시 완만한 곳에 있으니 맥상에는 4가지 법으로 맺는다. 훈간에 약간의 도독한 맥척이 있는 것은 소음지상이니 대저 맥혈은 마땅히 그 중앙을 취해서 묘를 써야 한다.

> 高山過峽이 廣而緩故로 穴亦平緩이라 蓋形이 如合盆之形하야 以蓋
> 覆器之形也라 山勢仰面에 穴在巔頂하야 用盖法이라 或圓而平或方而
> 正하니 乃氣浮之處也라. 用順杖하라.

고산과협이 넓으면서 완만한 고로 혈 역시 평완하다. 개법의 형상이 마치 동이의 형상과 같아 그릇을 엎어놓은 형상이다. 산세가 완만한 면으로 되어 혈이 맥상의 꼭대기에 있어서 개법을 사용해야 한다. 혹 둥글면서 평평하고, 혹 네모나면서 바르게 되니 기가 떠 있는 곳이 혈처이다. 이럴때에는 순장을 사용하라.

---

95) 민응식, 『용혈도서 권지上』, 단기4298년 乙巳, p.27.

山勢가 上聚緩楬하야 高尋暈內扦이오 若氣脈이 短하면 順下無害나 亦須星腦頭三四太深이오 如龍虎極高하야 案山이 聳逼이면 上扦寶蓋이오 龍虎如案山齊中이면 揷華蓋하라. 龍虎低하고 朝山不聳이면 下扦雲蓋可也라

산세가 위에 완만하게 뭉쳐 있는 것은 높은 곳에는 훈을 찾아서 묘를 써야 한다. 만약에 기맥이 짧으면 순장으로 하관하면 해가 없으나

또한 모름지기 성신의 뇌두의 3~4는 너무 깊은 것이요, 예를들면 용호가 지극히 높으면 안산이 용솟음쳐서 핍박하면 위에 묘를 쓰는 것이 보개요, 용호가 안산과 비슷하게 생겼으면 화개로 하라.

용호가 낮고 조산이 솟지 않으면 아래로 천혈하니 운개로 가능하다.

*楬: 푯말, 악기이름, 꾸밈이 없을 갈

2. 점법

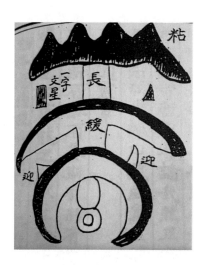

此는 峽來小去大하야 有迎故로 穴在遠이라 入首峻急故로 用粘法하니 形如草尾垂露라

이 점법은 협이 오는 것은 작게, 가는 것은 커서 영이 있는 고로 혈 역시 멀리 있다. 입수가 준급하는 고로 점법을 사용하니 형이 마치 풀 끝에 맺혀있는 이슬과 같음이라.

粘穴**이** 有迎有接有放有送**하야** 山勢下就脈急**에** 就低尋窩而扞**하고** 順下不放**이나** 亦順露脚**이니** 用相迎接來脈**하고** 如後龍**이** 高俊**에** 用實粘**하고** 直射**에** 用虛粘**하야** 忌水臨穴背**하야** 來脈**이** 木直成**이면** 沈水主絶**이니** 宜穴下有餘氣屑氈**이오** 無屑則恐絶氣之地**니** 實用綴杖96)**이오** 虛用離杖97)**이라.**

점혈이 영, 접, 방, 송이 있어 산세가 아래로 모여 맥이 급하니 낮은 곳 와를 찾아서 묘를 쓰고, 순으로 바로 받아 쓰나 역시 청룡, 백호가 개각 이니 영접래맥을 사용하는 것이 마치 후룡이 고준하면 실점을 쓰고, 곧 바로 내려오면 허점을 쓴다. 물이 혈 뒤에서 오는 것을 기피하니 래맥이 몽둥이처럼 받듯하게 되어 있으면 물에 침수되고, 맥이 끊어지니 마땅히 혈 아래에 여기인 순전이 있는 것이요, 순전이 없으면 맥이 끊어질 것을

96) 세가 강하고 맥이 급하여 산록의 낮은 곳을 취한다. 철장법을 쓰고, 소위 반드시 급하게 맥이 내려오면 점법으로 묘를 쓴다. 이장법과 비슷한데 객토를 많이 부어서 그 맥을 접속시키고, 급한 맥을 완만하게 해야 한다.

97) 세가 급하고 맥은 급하면(陰) 위로는 묘를 쓸만한 곳이 없고, 아래로는 방석처럼 요를 깔아 놓은 것처럼 넓은 곳이 있으니 이장법으로 용사한다. 소위 곧바로 급하게 오면 산록 기슭에 점법으로 葬하는 것이 離杖法인데 바로 이것이다.(부모산과 혈성이 떨어진 산)

두려운 것이니 실질적으로 철장법을 쓰고, 허점은 이장법을 쓴다.

3. 의법

此峽은 雖緩而氣勢雄剛하고 氣脈[98]이 硬急故로 避殺葬吐[99]하고 坐急歸緩峽하야 穴亦緩處에 用依法이니 如臥牛孕腹하니라 倚有斜正虛實하니 山勢中聚하야 脈急直就면 脈倚偏而扦호대 左轉依左하고 右轉依右하고 實靠正來호대 脈虛者는 依空就朝하고 要亦後樂하야 依用逆杖[100]하라.

의법은 비록 완만한 기세로 웅강하고, 기맥이 경급고로 피살장토하고, 좌급귀완협하야 혈역시 완처에 있는데 의법을 사용하니 마치 누워있는 소의 유방과 같은 것이다. 의법에는 사, 정, 허, 실이 있으니 산세가 가운데 응취하고 맥이 급하고 반듯하게 내려오면 치우치는 곳의 맥에 의지해서 묘를 쓰고, 좌측으로 돌았으면 좌측으로 의지하고, 우측으로 돌았으면 우측으로 의지하여 쓰고, 실질적으로 바르게 기대고, 맥이 허하면 의공취조하고, 락산이 뒤에 있기를 요하고, 12도장법 중의 역장을 사용한다.

---

98) 입수맥
99) 내려 붙인다는 의미

100) 龍勢雄剛하고 脈急沖中하며 饒減轉跌하야 避殺而扦하며 不取直受라. 所謂直來斜受也와 逆受也니라.

4. 당법

此는 高山行龍峽中에 大開窩하니 亦緩峽也라 左右有倉庫砂護峽하고 入穴上强下殺하야 欲居上則俊急하고 欲居下則微軟하야 其强柔交接處와 乾濕暫判之間에 中正對撞이면 遂脈裁成에 謂之撞法이니 穴似緩而不緩하고 似强而不强하야 强之下柔之上에 生氣呈[101]露者니 撞有輕重橫直하야 多出於脈之者니 直者는 順杖裁之하고 斜者는 穿杖用之하라.

이는 고산행용 협중에 크게 와를 여니 역시 완협이라. 좌우 창고사가 과협을 보호하고, 입혈에 상강하살하여 위에 거하고자 하나 준급하고, 아래에 거하고자 하나 미연하니 강유교접처와 건습참판지간에 중정대당이면 맥에다 재혈하니 이것을 말하여 당법이라 하니 혈이 완만한 것 같기도 하나 완만하지 않고, 강한 것 같으나 강하지 아니하니 강한 곳의 아래에 부드러운 위에 생기가 드러나니 당법은 경, 중, 횡, 직이 있다. 맥에서 나오는 것이 많으니 직자는 순장으로 재혈하고, 사자는 천장으로 재혈하느니라.

---

101) 呈: 드릴, 나타날, 드러내 보일, 한도 정/ 미칠, 경망할 광

5. 참법

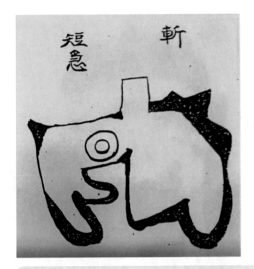

此는 高山急峽이 屬陰에 穴亦在急하야 結息象四法하니 息者는 暈間에 微有形하야 如小陽之象하니 息穴은 當剖間定基[102]니라.
陰峽이 峽急短故로 穴亦在近하야 自緩而短者는 用斬法하야 當近頂於 放棺[103]호대 以斬破로 爲義하고 脚有轉彎處[104]하야 起頂而一股鈎回[105]가 是也라.
穴形은 必短峽이니 峽短故로 穴亦短하야 斬有正直橫斜하니라.

이는 고산급협이 음에 속해 혈 역시 급하여 식상으로 결혈하는데 4법이 있다. 식이란 것은 훈간에 약간 도독한 형이 있어 마치 소양지상과 같으니 식혈은 마땅히 식을 짜개고 그 안에 재혈하면 된다.

음협이 준급하고 짧은 고로 혈 역시 가까이 있고, 완만하여 짧은 것은 참법으로 재혈하고, 마땅히 꼭대기에 묘를 쓴다. 참파로서 한다는 뜻은 청룡, 백호가 한쪽으로 걷은 꼭대기에 일어서는 청룡, 백호 중 어느 하나가 걷은 것이 이것이다.

혈형은 필히 단협이니 단협인 고로 혈역시 짧아 참법에는 정, 직, 횡, 사가 있다.

---

102) 息 그것을 짜개고서 그 안에 시신을 모신다.
103) 꼭대기에 묘를 쓴다.
104) 청룡이든, 백호든 걷어야 한다는 뜻
105) 청룡과 백호 중 하나는 걷어야 한다는 뜻이다.

6. 절법

이는 과협이 경단자하고 입수가 불완불급하여 입혈에 역시 그러면 절법으로 재혈하고 횡절, 직절, 대절, 소절이 있다.

현무취장에는 절법으로 재혈하고, 누워있는 창고사와 누워있는 홀이 마치 기마척과 같으나 연이나 그 법은 절장으로 재혈하니 혈형이 반드시 곧고 긴 것은 그 가운데가 곧고 길면서 뾰쪽한 부리를 잘라버리고 살이 가버리면 오히려 관성과 요성이 된다. 직자는 순장으로 재혈하고, 사자는 천장으로 재혈한다.

7. 조법

此峽은 亦硬急하고 而入首도 亦峽急하면 穴結息象인대 息急而高故로 用吊法하니 宜露脚扦法이니라. 吊形이 與鉤起로 相似하야 生氣가 入於息下하나니 上不過高는 恐漏其氣하고 下不太低는 恐離其氣니라. 一陰이 既盛에 一陽이 來覆이니 半在息體之足하고 半在息體之首하야 交感而成形은 形既完而成穴이니라. 與粘而相似나 吊則粘之高者오 粘則吊之垂者로 用綴한다.

이는 과협이 역시 경급하고, 입수도 역시 협급하여 혈은 식상으로 맺는데 식이 급하고 높은 고로 조법으로 재혈하니 마땅히 길쭉하게 나온 곳에 혈을 붙인 것이다. 조형이 마치 낚시바늘과 비슷하여 생기가 식아래에 들어가니 위로 너무 높으면 안되는데 기가 누설될까 두렵기 때문이고, 아래로 너무낮아도 안되는데 기가 떨어져서 닿지 않을까 두렵기 때문이다. 일음이 이미 성하면 일양이 래복하니 반은 식체의 족에 있고, 반은 식체의 머리에 있어 교감하여 형을 이루는 것은 형이 이미 완전하게 혈을 이루는 것이다. 점법과 더불어서 서로 비슷하나 조법은 점법보다 높은 곳에 재혈한 것이요, 점법은 조법보다는 조금 더 내려간 곳에 재혈한 것으로 철법으로 재혈한다.

8. 추법

高山急峽**에** 入首急**하고** 穴形低短**하고** 落在山下**하면** 僅容一棺**이** 如擁
拳覆地之狀**이면** 用墜法裁之**하니** 宜湊脚扞法**이니라.** 墜法**이** 傍正近遠
하야 生氣**가** 吐出而落脈分明者**는** 如果脫蔕**하고** 如露滴草**하면** 與
粘106)吊107)**로** 相似**나** 而高不如吊108)**하고** 低不如粘109)**이** 是爲得之**니**
라. *湊:모일 주

　고산에 협이 준급하고 입수가 급하고 혈형이 저단하고 기가 산 아래에
떨어져 있으면 겨우 관 하나만 허용하는 것인데 마치 주먹을 뒤집어 놓
은 것처럼 생긴 것이면 추법으로 재혈하니 마땅히 각이 모이는 곳에 붙
이는 것이다. 추법이 방, 정, 근, 원법이 있다. 생기가 토출하고 락맥이
분명한 것은 마치 꼭지에서 과일이 혼자 떨어진 것처럼 하고, 마치 이슬
이 풀잎에서 뚝 떨어진 것처럼 되면 粘 吊과 비슷하나 높아도 吊와 같
지 아니하고, 낮아도 粘과 같지 아니한 것이 이와 같이 하면 정혈에 재
혈한 것이다.

---

106) 乳의 장법
107) 鉗이 장법
108) 吊(이를 적/ 조상할 조=弔의 속자)보다는 높지 아니하다.
109) 粘처럼 밑으로 내려간 것도 아니다.

9. 정법

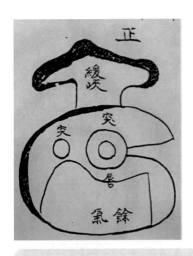

此는 平地緩峽은 屬陽穴하니 結窟象四法이니라. 窟者는 暈間에 微有
窩하야 乃太陽之象이니라. 窟穴은 當增高定基니라.
此는 坪中起突하고 突中有深窩호대 窩者는 緩也라. 故로 峽緩穴緩이
是也니라. 故로 用正法은 當中放棺하라. 正穴은 有浮沈이나 無饒無減
이니라. 正法을 用於微窩호대 旣葬則塡滿於窩하야 而窩形이 不見하고
但見暈形而已니 不可使壞傷其暈하야 用順杖하라.

　이것은 평지완협은 양혈에 속하니 굴상4법으로 맺는다. 굴이란 것은
훈간에 약간 옴팍한 것으로 태양의 상이다. 굴혈은 마땅히 보토해서 묘
를 써야 한다.
이는 평지에서 기돌하고, 돌 가운데 와가 매우 깊으니 와라는 것은 완만
한 것이다. 고로 과협이 완만하고 혈이 완만한 것이 바로 이것이다. 고
로 정법은 마땅히 정 가운데에 재혈하라. 정혈은 부침이 있으나 요감이
없는 것이다. 정법은 보조개처럼 약간 옴팍한 곳에 재혈하는데 이미 묘
를 썼으면 봉분으로 작은 와를 다 채워버려서 와형이 보이지 않고, 다만
훈의 형태만 보일 뿐이니 그 훈을 상하게 해서는 안 되는 것이니 순장
법으로 재혈한다.

10. 구법

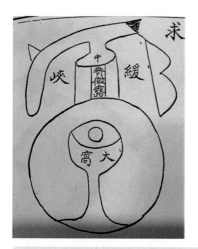

此는 平地緩峽에 入首起大墩하고 墩中에 起大窩하야 微開口窩하야 窟弦에 生氣吐露者는 求也니라. 求者는 度也로 量度其生氣所止處故로 曰求니라. 求는 深淺傍正이 此正求也요 窟象濶大나 無開口者는 非니 用縮杖하라.

이는 평지의 완만한 과협에 입수가 크게 돈대을 일으켜 세우고, 돈중에 큰 와가 일어나 약간의 개구가 되고, 굴현 즉, 현릉에 생기가 토출하는 것이 구이다. 구라는 것은 측량하는 것으로 생기가 그친 곳을 심안으로 잘 판단하는 고로 구라 한다. 구는 심, 천, 방, 정이 있는데 이것이 正求 이다. 굴상이 너무 넓고, 크거나 개구가 없으면 구가 아니니 축장으로 재혈하라.

11. 가법

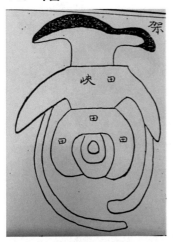

此는 平地緩峽에 坪中은 起金星하야 中開沈窩하고 窩絃之四面에 無
生氣吐露는 其龍이 落脈開帳短峽에 有突中深窩者니 陰殺在下故로 當
抽氣放棺호대 本土는 可開二尺許하고 四角은 立石하야 安棺架之하고
打墻爲圍하고 疊土爲坂하야 葬于土皮之上니라. 又一法은 破土尺餘하
고 先用生木하야 以鋪木架土然後에 架棺下之니라. 陰殺이 見木則消라.
加架爲義故로 曰架也니라. 架穴은 有浮沈正偏호대 順杖하라.

이는 평지완협에 평중은 금성(突象)으로 일어나 금성 중간에 옴파 패이
고, 현릉이 돌아가는 사면에 생기가 나오는 것이 없는 것은 그 용이 락
맥개장에 짧은 과협에 돌중에 깊은 와가 있으니 음살이 아래에 있는 고
로 마땅히 기를 위로 끌어 올려서 묘를 쓰되 본토는 2척정도 파고, 4각
에 돌을 세워서 가법으로 안장하고, 울타리처럼 훈이 삥 돌고 흙을 보토
해서 깊이 패인곳에 쓰는 것이 아니라 훈으로 기를 끌어 올려서 토피
위에 묘를 쓰는 것이다. 또 1법이 있는데 1자정도 파고, 먼져 생목을 사
용하여 나무를 넣고 흙을 채워 넣은 연후에 가법으로 하관하니라. 음살
이 나무를 보면 소멸된다.선반을 얹은 것처럼 보토하고 한 뜻으로서 가
법이라 한다. 가혈은 부, 침, 정, 편이 있는데 순장으로 재혈하라.

12. 절법

此는 緩峽에 穴結窟象하고 窟象이 淺露者면 用折法하라. 折者는 裁也라. 此는 斤110)裁物故로 曰折이라. 折穴이 有濶狹이니라. 專本形이 如求穴호대 而折則求之濶者로 折其窟弦而葬이니 用順杖하라.

이는 완협에 혈이 굴상으로 맺고, 굴상이 얕게 드러나면 절법으로 재혈한다. 절이란 것은 재혈하는 것이다. 이는 도끼에 재혈한 물건인 고로 절이라 한다. 절혈에는 활, 협이 있다. 전적으로 본래의 형이 마치 구혈과 같이 절은 구가 넓을 것으로 절은 굴현에 재혈하는 것이니 순장으로 재혈하라.

---

110) 斤: 도기 근 / 斧(도끼 부)와 동일한 글자

13. 애법

此는 平地急峽이 屬陰穴하야 結突象四法호대 突者는 暈間에 微有汔하니 乃太陰之象이라. 突穴은 當鑿平定基니라.
平地之突이 旣孤에 單用挨法호대 多邊高邊低者는 是也라.
宜靠定高者扞之하라. 挨穴이 有左挨右挨重挨輕挨니라. 挨之形이 如種之方穿하고 或如轉皮하야 氣如仰掌이니라.

이는 평지 급협이 음혈에 속하여 결혈은 돌상4법인데 돌은 훈간에 약간의 증기가 있는 것처럼 약간 솟은 것인데 태음지상이다. 돌혈은 마땅히 훈을 파서 지표면에다 묘를 써라.
평지돌이 이미 좌우에 용호가 없어 외로운데 돌이 하나로 되어 있으면 애법으로 쓴다. 변고변저가 많은 것이 이것이다. 마땅히 높은 곳에 의지하여 천혈하라. 애혈은 좌애, 우애, 중애, 경애가 있다. 애의 형상이 싹이 난곳, 혹 껍데기가 벗어지고, 기가 앙장과 같은 것이다.

14. 병법

此는 平地陰峽이 穴結雙突하야 或一長一短이거나 一大一小하면 宜取短而小者하야 扞之하고 雙短에 更裁其長邊하야 補其短處하고 封培成塚하면 合二爲一故로 曰幷也니라. 幷者는 合也니라. 幷有大小全半호대 暈間에 微現雙突하면 如浮鷗傍母之形하고 若佳穀吐華勢니라.
*鷗: 갈매기 구

 이는 평지음협이 혈이 쌍돌로 되어 혹 1장1단이거나 1대1소하면 짧고 작은 것을 취하여 재혈하는 것이 옳고, 쌍으로 짧은 것에 다시 긴 변까지 덮어 씌워 재혈하여 그 짧은 곳을 보강하고, 봉분을 조성하면 2개가 하나가 되는 고로 병법이라 한다. 병이라는 것은 합치는 것을 말한다. 병에는 대, 소, 전, 반이 있는데 훈간에 미미하게 쌍돌이 보이면 갈매기 어미옆에 새끼가 붙어 있는 것과 같은 형상이고, 만약에 곡식이 싹이 트면 잎이 2개가 나온 것과 같은 勢인 것이다.

15. 사법

此는 平地突峽故로 入穴이 亦結突象하면 脈直來故로 用斜法하니 斜穴이 有進有退有多有寡하다. 乃正直之突은 欲就其頂則其勢剛暴하고 欲就其下則氣脈이 退落故로 斜切其生氣이니라. 凡橫結은 後必有樂山하니 無此는 非眞이라 然이나 先尋生氣及穴法則樂山이 自然應後니라.

이는 평지돌협으로 입혈이 역시 돌상으로 맺으면 맥이 곧바로 오는 고로 사법으로 재혈한다. 사혈이 진, 퇴, 다, 과가 있다. 반드시 내려온 돌은 그 꼭대기를 취해서 묘를 쓰려고 하면 기세가 강폭하고, 그 아래를 취해서 묘를 쓰려고 하면 기맥이 퇴락하여 맥이 들어오지 않는 고로 사법은 생기가 끊어진 것이다. 무릇 횡결은 뒤에 반드시 락산이 있어야 하니 락산이 없으면 진짜가 아니다. 연이나 먼져 생기와 혈법을 찾으면 락산은 자연히 뒤에 응하게 될 것이다.

16. 삽법

이는 평지음협에 결혈은 돌상으로 맺으니 돌이 한쪽으로 치우치는 것이 삽법이다. 삽법은 좌, 우, 고, 저가 있다. 형이 마치 새가 날개를 좌우로 펴고 있는 모양으로 좌측의 날개가 중중하면 좌측으로 받고, 우측 날개가 중중하면 우삽한다. 과협이 편으로 와서 여는고로 생기도 편측에서 취하고, 맥정의 활동도 횡으로 감싸안은 세와 같은 것이다.

이상 도식은 모두 과협이 혈에 응하는 것을 밝게 하는 고로 과협 그림 아래에 또한 혈법의 그림이 있어서 이미 대략 올려 놓았다. 대개 이 편은 모두 과협을 논하면서 또한 혈을 논하는 그림으로 과협을 살펴 혈법의 증거를 찾는 것을 밝게 하는 것이다.

고산양협에 혈은 맥상을 맺으면 개정의당이 개법에는 고,저, 정, 편이 같지 아니하고, 평지음혈에 역시 돌상으로 맺는데 애병사삽이 있는데 애법은 좌, 우, 경, 중이 서로 차이가 난다. 혈은 자세히 논한다.

> 盖峽者는 龍穴緊要處而峽之落脈이 根於開帳故로 下文言之라.
> 眞龍은 必有開帳하고 無[111]山野龍이 皆以此爲證하니 大龍은 必開三
> 四帳이나 或有無帳而結者하니 只是小地也라.

무릇 협은 용혈의 긴요처로 협의 락맥이 개장의 뿌리를 두는 고로 아래에 글로써 말한다.
진룡은 반드시 개장하고 산룡과 평지룡을 할 것 없이 모두 이것으로 증거를 삼으니 대룡은 반드시 3,4개의 개장을 하고, 혹 개장없이 결혈하는 경우도 있으니 다만 그 수는 적을 뿐이다.

십자장

> 此는 十字帳落脈에 有左右侍故로 穴之傍에 有兩砂之應이니라. 然이
> 나 此兩微는 穴上不見이요 爲砂見則恐促이니라. 盖落脈侍砂는 要短不
> 要長이요 或如鼠尾하고 或如絲垂下니라.

이것은 십자장 락맥에 좌우에 시사가 있는 고로 혈의 곁에 양쪽의 사가 응함이 있다. 연이나 양쪽의 미미한 시사는 혈상에서 보이지 않는 것이요, 사가 보인다면 살이 되어서 촉박하게 된다. 무릇 락맥될 때 시사는 짧고 길지 않아야 됨을 요하고, 혹 쥐 꼬리처럼 같고, 혹 약간 실줄

---

111) 毋(말 무)와 동일

을 늘여놓은 것처럼 작아야 하는 것이다.

정자장

 이 그림은 초락처에 다만 좌측에 시사가 있는 고로 입혈에도 역시 좌사가 끼고 있어야 결혈이 된다.

구뇌부용장

此는 落脈이 峽右侍故로 亦挾右砂而結이니라.

芙蓉帶水 蓮花帶水 帳中落脈이 或有重出者는 假요 角出者는 眞이니라.

이는 락맥이 협의 우측에 있는 고로 역시 우측사를 끼워서 결혈한다.
부용대수, 연화대수 장중 락맥이 혹 거듭 출맥된 것은 가짜요, 각출(좌출, 우출에서 락맥 된 것)로 된 것이 참이다.

금수장

此는 金水帳落脈은 無侍砂故로 有迎砂는 在於左右니라. 結穴도 雖無陰砂하고 貼身之侍라도 而作穴端正하고 龍虎完固하니 所以落脈無侍者는 亦無侍而結者가 此也니라.

이는 금수장락맥은 시사가 없는 고로 영사가 있는데 좌우에 있다. 결혈이 비록 음사가 없고, 혈성에 붙어 있는 貼身之侍라도 작혈에 단정하게 있고, 좌우에 요성이 붙었으므로 청룡, 백호가 완고하니 락맥시 시사가 없는 것은 역시 시사가 없이 결혈하는 것이 이것이다.

然이나 落脈이 無狹者는 帳之兩端에 下垂護하야 不使風吹가 可也니라. 貴龍來處에 有獻天金과 冲天水와 漲天水와 焰天火 御屛土星等으로 各異하다.

연이나 락맥이 좌우에서 끼워서 보호하는 것이 없는 것은 개장의 양쪽 끝에 호종사를 출맥시켜서 풍취를 당하지 않게 하여야 한다.
귀룡이 오는 곳에는 헌천금(똥글똥글하게 생긴 것), 충천목(하늘 찌를 듯이 솟은 목), 창천수(청와대 뒷산처럼 쫙 벌린 수성처럼), 염천화(하늘에 불을 당긴 火처럼), 어병토성등과 같이 각기 다르다.

以上圖式은 皆是開帳落脈之砂而其下又圖穴者는 以落脈之砂로 豫度作穴之砂證也니라. 然이나 尋帳之際에 或開一二帳하고 或開三四帳호대 帳雖多라도 作穴則一也니라.

이상 도식은 모두 개장락맥시의 사격으로 그 아래에 도혈은 락맥할때의 사격으로 작혈할 때 계량을 잘해서 증거로 삼는 것이다. 연이나 개장을 찾을 때에 혹 개장이 1, 2개 하고, 혹 개장이 3, 4개 할 때 개장이 비록 많다고 하더라도 작혈은 1개인 것이다.

以帳下落脈**으로** 度前去作穴之軀則帳多者**는** 或落脈有侍**하고** 或無侍**하며** 或初帳落脈**엔** 有左侍而及其二三帳落脈則無左右侍者**는** 作穴之證**이** 從其初帳**이니라.**

개장하고 난 뒤에 락맥으로 앞에 가서 작혈할때의 지도리로 측정한다. 개장이 많은 것은 혹 락맥시에 시사가 있고, 혹 시사가 없으며, 혹 초장 락맥에는 좌시사가 있고, 2, 3개의 락맥할 시에 좌우에 시사가 없는것은 작혈의 증거가 그 초장에 근거하여 정한다.

心印經**에** 云**호대** 從其玄微**하야** 以度穴軀**니라한대** 盖玄微者**는** 落脈時玄微也**라.** 雖開帳多多而落脈之玄微則不過一也**니라.**

심인경에 말하길 현미, 즉 택기특달에 따라서 혈증을 계량하고, 무릇 택기특달은 락맥시에 특기특달로 한다. 비록 개장이 많고, 락맥시 택기특달이 있는 것은 하나에 불과하다.

玄微者**는** 凡有異也**니** 衆帳落脈**이** 皆有侍從**하고** 而一帳獨無者**는** 取獨無**하고** 衆帳落脈**이** 皆無侍從**하고** 而一帳獨有**면** 取其獨有者**오** 或有左侍**하고** 或有右侍**면** 彼此相辨則從其穴後一帳**이** 爲妙**니라.** 然**이나** 龍峽帳脈**으로** 須知作穴之法而有萬不一 故**로** 下文詳之**하다.**

현미 즉, 택기특달은 무릇 다름이 있는 것이니 개장락맥의 무리들이 모두 시종이 있고, 하나의 개장이 없는 것은 취함이 없고, 많은 개장과 락맥이 모두 시종이 없고 하나의 개장이 있으면 그 하나의 개장한 것을 취하고, 혹 좌시사가 있고, 혹 우시사가 있으면 피차 서로 변별하면 그 혈 뒤의 하나의 개장을 따름이 묘하게 된다. 그러나 용협장맥으로 모름지기 작혈의 법이 만가지 중에 하나가 아님을 안 고로 아래에 자세하게 설명한다.

◆八字分合圖

定穴에 先看大八字下에 有小八字하고 而邊有蝦鬚水하야 交度三了盡은 必開口니 有分無合은 穴不眞이오 有合無分도 穴不眞이니라.

혈을 정함에 먼저 대팔자 아래에 소팔자가 있는 것과 변에 하수수가 있다는 것을 봐야된다. 교량하여 측량한 것이 3번을 다하면 반드시 개구가 있을 것이니 分은 있고, 合이 없는 것은 혈이 진짜가 아니요, 合은 있는데 分이 없는 것도 혈이 진짜가 아니다.

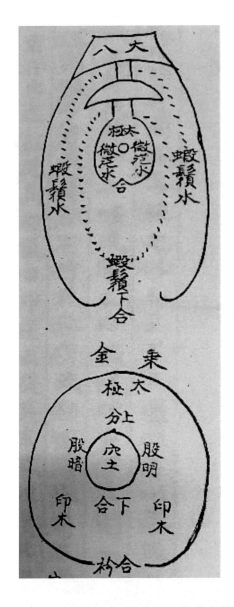

혈상에 훈이 있는 것이 마치 아름다운 여인의 눈썹과 같아 이것이 바
로 태극훈인데 3훈이 있으면 대귀지지요, 좌우에 미망수 흔적이 혈전,

---

112) 葬口를 말한다.

혈 아래에서 합하고, 순전이 있어 전은 금어시가 있어 합금한다.

古典 脈息窟突四象이 變爲64하니 穴在下니라.

1. 脈圖: 乳穴

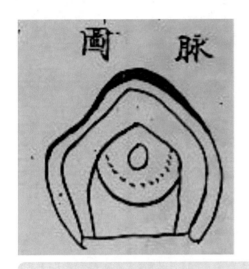

"圓暈之下에 有微微脊"113)이 下來하야 左右微茫水가 分合하니 大抵其暈與脊皆是微茫하야 遠看에 似有하고 近看에 似無하야 若被鋤破之면 不能見也라 或緩或急或直或橫이니라.
*성산 주) 점선: 훈을 의미한다.
*鋤: 호미, 김매다. 없앨 서

원훈 아래에 아주 미미한 맥척이 있어 아래로 와서 좌우미망수가 분합하니 대저 그 훈과 맥척이 더불어 모두 미망이다. 멀리서 보면 있는 것 같고, 가까이서 보면 없는 것 같아, 만약에 깨서 없애버리면 능히 볼 수 없다. 혹 완, 혹급, 혹직, 혹횡이니라.

---

113) 脈을 의미

2. 息圖: 鉗穴

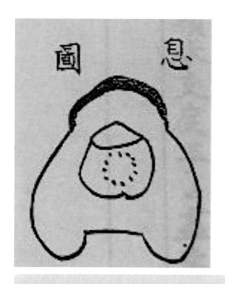

원훈 아래에 아주 미미한 형태가 있어 좌우미망수가 있어 분합형은 길기도 한 것 같고, 짧은 것 같기도 하고, 네모난 것 같기도 하고, 둥근 것 같기도 하여 물형이 있는데 불분명하니라. 상하미망 분합이 분명하면 참이다. 혹 길기도 하고, 혹 짧기도 하고, 혹 높기도 하고, 혹낮기도 하니라.

3. 窟圖: 窩穴

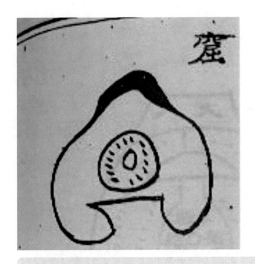

　暈之下에 有微窩하야 或正 或側 或濶 或狹 或深하야 汎[114]看不見하고 細看可見者也니라.
성산 주)점선: 暈을 의미한다.

훈 아래에 약간 옴팍한 것이 있는데 혹 바르고, 혹 넓고, 혹 좁고, 혹 깊어서 널리 보면 보이지 아니하고, 자세히 보면 볼 수 있느니라.

---

114) 汎: 뜰, 널리, 넓을 범

4. 突圖: 突穴

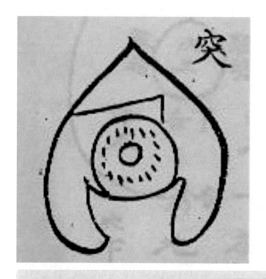

> 暈間에 微有突115)하야 或單或雙或正或偏하니라.
> 성산 주)점선: 暈을 의미한다.
> 脈變盖粘依撞圖 高山陽116)龍用之

훈간에 작은 돌이 있어 혹 하나, 혹 쌍, 혹 바르고, 혹 치우치니라.
맥이 변해 개, 점, 의, 당 그림은 고산 양룡에 사용한다.

---

115) 凸也니라.
116) 陽이란 窟短峽을 말한다.

1) 高盖

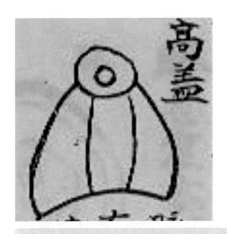

脈之緩者를 用盖法**하라,** 有正有偏有低**하야** 金木土星[117]**이** 用之**하고**
水火星**은** 不用**하니** 形如覆盖**하니라.**

맥이 완만한 것은 개법을 사용하라. 정이 있고, 편이 있고, 저가 있는데
금목토성을 사용하고, 수화성은 사용할 수 없으니 형상은 마치 엎어 놓
은 것 같다.

---

117) 혈성을 의미

2) 實粘

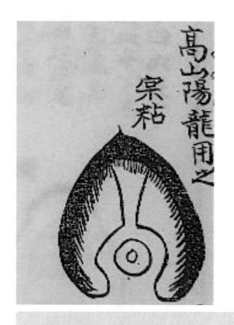

脈之急者를 用粘法이라 粘엔 有虛有實하야 木火金星은 用之하고 水土星은 不用하니 形如草尾垂露也니라.

맥이 급한 것을 점법을 쓴다고 하는데 점에는 허와 실이 있어서 목화금성은 사용하고, 수토성은 쓸 수 없으니 그 형상이 마치 초미수로와 같다.

3) 斜依

脈之直者는 不用直受요 用依法이니 有斜虛實하야 金星에 用之하고
餘不用이니 但"顚木用之"118)하야 如臥牛孕腹이로다.

맥이 곧바른 것은 곧바로 받으면 안 되고, 의법을 쓰니, 사허실이 있어
금성에는 사용하고, 나머지는 쓰지 말아야 하니, 다만 전목에는 사용하
고 마치 누워있는 소 배의 젖이로다.

---

118) 倒地木星을 말한다./ 顚; 꼭대기, 산정, 이마 전

4) 輕撞

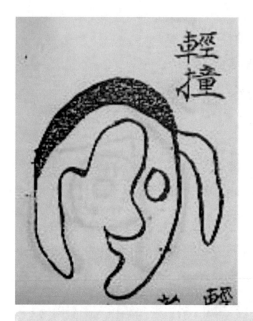

脈之橫者를 用撞法이라하니 撞輕重淺深五星은 皆用之요 輕撞은 如
橫巳抱蟾하야 橫龍은 必生鬼하고 或穴橫托하고 或雙出拱抱[119]하고
或正中直撞[120]하고 或一邊逆抱니라.

맥의 횡은 당법을 쓰니, 당경중천심오성은 모두 사용하고, 경당는 마치
횡사포섬하여 횡용은 필히 귀가 있어야 하고, 혹 혈횡은 뒤에서 받쳐주
고, 혹 쌍으로 뒤에서 안아주고, 혹 정 중앙에서 바르게 받쳐주고, 혹 한
변을 역으로 안아주어야 하니라.

---

119) 효순사를 말한다.
120) 귀사를 말한다.

盖變四法

1. 正盖

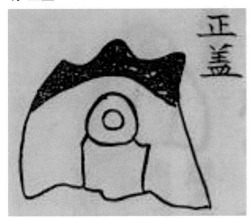

山勢中聚**하야** 脈象**이** 不出於上而現於中者**는** 中扦華盖**니라.**

산세가 가운데로 뭉쳐서 맥상이 위에서 나오는 것이 아니라 가운데에서 나타난 것을 가운데에서 화개가 받치고 있어야 한다.

2. 低盖

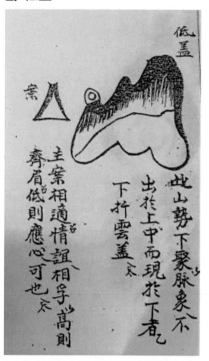

 이것은 산세가 아래에 모여 있어 맥상이 상중에 나타나지 않고 아래에 나타나니 아래에 묘를 파서 운개를 연다.
주산과 안산이 서로 바라다보고 정이 있으니 서로 상부하여 높으면 눈썹에 있고, 낮으면 가슴, 중턱에 있다.

3. 偏盖....遠應

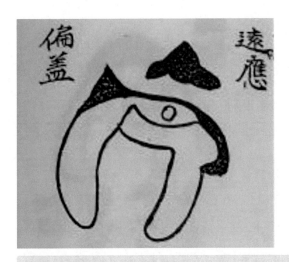

此는 山勢가 聚於偏處하고 且脈象이 出於偏處故로 用偏盖에 有後樂
然後에 爲眞이니라.

이는 산세가 한 곳에 치우친 곳에 뭉쳐있고, 또한 맥상이 한쪽으로부터
나와서 한쪽에 편측에 개법을 사용하는데 뒤에는 락산이 있은 연후라야
참이 된다.

以上圖는 皆是緩脈에 用盖法이니 盖之脈이 自坤而見於乾하고 盖之
法이 自乾而旋之坤하고 姤復之妙有焉하고 天地之情見焉이니라.

이상 그림은 모두 완만한 맥에 개법을 쓰는 것이니 무릇 맥이 곤에서
부터 건에서 보이고, 개법이 건에서 곤으로 돌고, 구복의 묘가 있고, 천
지의 정이 보이니라.

粘變四法**하니** 實虛左右**라**

1. 虛粘

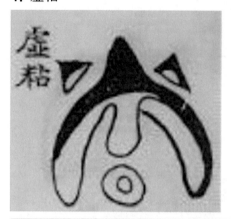

木火金三星**에** 用之**니** 此**는** 後脈**이** 直121)射故**로** 離脈三四尺而葬**하니** 所謂虛粘也**니라** 用土接脈而用之**하고** 要有餘氣脣氈**이니라.**

목화금성 3성에 사용하니 이는 후맥이 직사하는 고로 맥을 벗어나서 3, 4척에 묘를 쓰니 이것을 허점이라 한다. 흙으로 접맥하여 사용하고, 필요로 하는 것은 여기인 순전이 있다.

2. 左粘

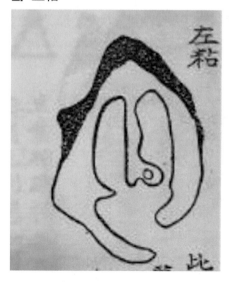

---

121) 急하다는 의미

此는 後脈直急**하야** 臨穴**에** 有雙脈而氣聚於左故**로** 曰左粘**이니라.**

이는 후맥이 직급하여 혈에 이르렀을때에 쌍맥의 기가 모인 곳이 좌측에 있어서 좌점이라 한다.

3. 右粘

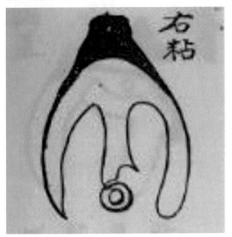

眞氣所鍾**에** 樂山**이** 自然應後**하야** 或圓或方或高或低或長**하야** 穴上不見而要有情**이요** 若先見樂山**하고** 次尋穴**이면** 多定假穴**이로다.**
以上三圖**는** 皆脈急**이니** 粘穴**이** 盖有四法**하고** 實粘圖**는** 在上故**로** 不式也122)**하다.**
盖粘之法**은** 自來而至于止**하고** 粘之法**은** 自止而止于盡**이니라.**
성산 주) 虛粘**은** 止氣處**와** 盡處 **사이에 용사한다.**

진기가 모임에 락산이 자연히 뒤에 응하고, 혹 둥글게, 혹 네모나게, 혹 높게, 혹 낮게, 혹 길게 있어 혈상에서는 보이지 않으나 정이 있음을 요하고, 만약에 먼저 락산을 보고, 다음으로 심혈하면 가짜 혈로 정해짐이 많다. 이상 3개의 그림은 모두 맥이 급한 것이니 점혈이 4법이 있고, 실점도는 위에 있는 고로 여기에는 그리지 아니하였다.
무릇 점법은 스스로 와서 그치고, 점법은 그치고 그침을 다한 것이다.

---

122) 그러지 않음을 말한다.

依變四法圖는 斜正虛實이라

1. 正依

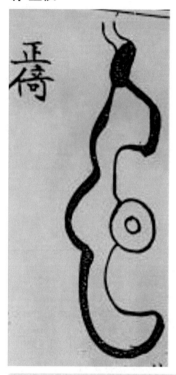

此는 後龍峻急하야 橫去脈直하면 用依法이니 臨穴에 起頂123)하고 端正하면 須依而坐正面하니라.

이는 후룡이 준급하여 횡으로 가서 맥직하면 의법을 쓰는데 혈에 이르러서는 성봉을 하고, 단정하면 모름지기 옆으로 바르게 정좌하니라.

---

123) 뒤에 봉우리가 星峰해야 한다는 말이다.

2. 實依

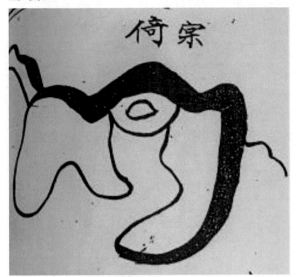

이는 후룡이 준급횡과하고 옆으로 하나의 맥이 토해내서 입수가 꽉 차서 실의라 한다.

3. 虛依

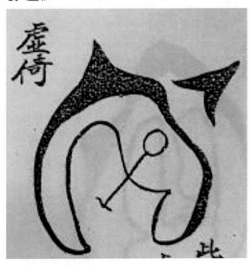

---

124) 脈이 있는 곳에는 氣가 있다는 말이다.

이는 후맥이 입수가 공허하여 허의라 하니 뒤에 락산이 있은 연후에
가능하다.
이 3가지 그림은 모두 직맥에 혈이 옆으로 빗겨 있는 그림이니 무릇 依
맥이 위에서부터 아래를 충하고, 의법이 한쪽으로부터 의법이 바르게 있
어야 하니라.

---

125) 脈入首를 말한다.

撞有四法하니 輕重淺深이라

1. 淺撞: 각도가 커야 淺이라 한다.

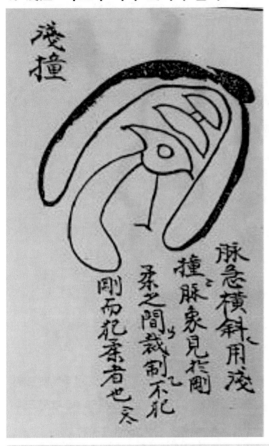

脈急橫斜에　用淺撞이니　脈象이　見[126]於剛柔[127]之間하야　裁制[128]를 不犯剛而犯柔者也니라.

　맥이 급하고 횡으로 기울어지니 천당을 사용하고, 맥상이 강유의 사이에 나타나면 재혈할 때에 강유를 범하지 말아야 한다.

---

126) 見: 나타날 현으로 해석해야 한다.
127) 剛: 준급한 것을 말한다. / 柔: 평평하고 완만한 것을 말한다.
128) 裁制: 재혈을 말한다.

2. 深撞: 각도가 작아야 深이다.

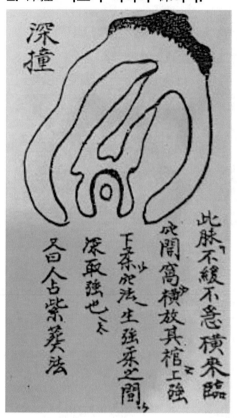

 이러한 맥은 완만하지도 않고, 급하지도 않아서 횡으로 와서 혈에 임해서 와를 열어 횡으로 그 관을 놓으니 위에는 강하고, 아래에는 부드러워야 혈법이 강유지간에 생기나니 깊이 쏙 넣는 것이다.
또한 말하길 含柴葬法(함시장법/ 柴: 섶 시)이라.

 성산 주)
生剛柔之間: 음양교제지처(=음양의 경계선)에 쓴다.
深取强也: 깊이 쏙 넣는 것을 말한다.

3. 重撞: 승금.상수.혈토.인목이 있으면 쓴다.

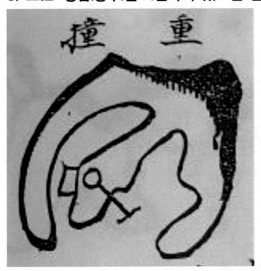

이는 후맥이 곧바로 쏘고 들어 올 때에 곡을 취해서 정상에 묘를 쓰고,
산세가 거듭 모인 곳에 혈형이 정상으로부터 나오면 재혈하는 법은 강
유지간을 취하는 것과 곡직 중에서 취하니라.
이 3개의 그림은 횡맥당법의 당법이 비스듬이 오면 바른 곳을 취하고,
당법이 바른 곳에서 오면 비껴서 받아야 되니라.

息變四象은 斬截吊墜圖라 高山陰龍用之法이라

1. 正斬

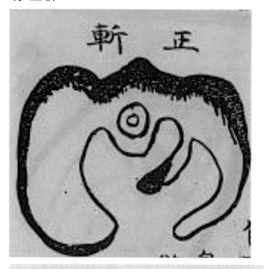

> 息之短者를 用斬法이니 山勢欲行하야 轉彎處129)에 起頂一股하야 鉤回其脈하고 不見直去라 四法穴形이 必短挾130)이니라.

　息이 짧은 것은 참법을 쓰는 것이니 산세가 앞으로 가고자하여 전만처에 하나의 다리가 머리를 일으켜세우서 그 맥이 갈구리처럼 돌고, 앞으로 쭉 가는 것이 보이지 아니하는 것이라. 혈형이 4가지 법이 있는데 필히 짧은 것이 끼고 있어야 한다.

---

129) 청룡쪽의 가지가 꽉 감고 도는 것을 의미
130) 청룡이든 백호가 어린이를 안아주듯이 돌아야 한다는 의미

2. 直截

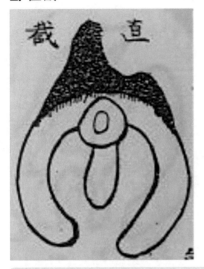

息之長者는 用截法이니 玄武嘴長하야 不緩不急則當腰放棺이요 截其前하야 不見穴下直長者는 截穴이니 臻[131]在高頂下平坦穴하야 不火星이 多有之하니라.

식이 긴 것은 절법을 쓰는 것이니 현무취장하여 급하지 않고, 완만하지도 않으면 마땅히 허리에 관을 놓아야 하는 것이요, 그 앞을 잘라서 혈 아래에 길게 나간 것이 보이지 않는 것이 절혈이니 이르러서 높은 산 정상 아래에 평탄한 혈이 있어 화성이 아니면 많이 있다.

---

131) 臻: 이를 진/至와 동일한 뜻

3. 左吊(=弔): 조는 조금 높은 것/ 혈이 발등에 있음

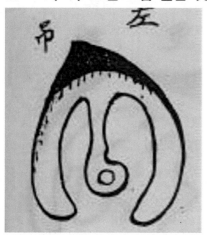

息急而高者를 是弔法이니 懸提其生氣也라 穴旣高露于脚上하야 形似垂釣之形이니라.

*提: 끌, 손에들, 휴대할, 걸, 들어올릴 제

식이 급하면서 높은 것을 조법이라 하는데 생기를 끌어올려 매단 것이다. 혈은 이미 다리위에 높게 노출되어서 형상이 마치 낚시바늘이 드리워진 것 같은 모양이다.

4. 正墜: 조금 야차운 것 / 철장법에 해당/ 혈이 발바닥에 있음

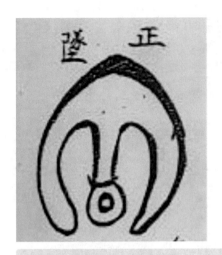

息急而低者를 用墜法하니 穴形이 低臻于脚下하야 如果落在樹下하고
來脈이 分明與粘相似나 而低不如粘이 爲眞也니라.

식이 급하면서 낮은 것은 추법을 쓰는데 혈형이 다리 아래로 낮게 이르는 것이 마치 나무에서 과일이 낙과한 것과 같고, 오는 맥이 분명 점법과 비슷하나 낮으나 점법 같지 아니한 것이 참이 된다.

斬132)變四法圖라 正直橫斜니라.

1. 直斬: 失穴할 위험이 많다./ 참관기룡혈이다./ 斬은 높은 곳에 진다./ 來八去八이 10보 이내에 있어야 참이다.

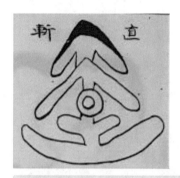

山勢欲行에 息象이 露於山腰而短故로 用直斬法이니 去山이 及抱有情하야 爲官星案上하야 斬開騎龍是也니라.

산세가 가고자 함에 식상이 산 허리에 짧게 노출되는 고로 직참법을 쓰니 가는 산이 유정하게 안아줘야 안산 상에 관성이 되어 참관기룡이 바로 이것이다.

2. 橫斬

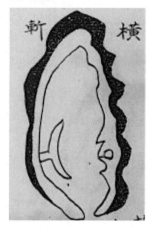

---

132) 橫騎龍이다./ 開口가 짧아야 한다.

山勢欲去**호대** 生氣見於息之橫者故**로** 曰橫**이니** 如走馬勒133)回而橫騎也**니라.**

산세가 가고자 하는데 생기는 식의 옆으로 보이는 고로 이것은 횡이니 마치 주마가 옆으로 살짝 도는 것이 횡기라 한다.

3. 斜斬: 제일 안전

후룡이 준급하여 식상이 편처에 나타나는 고로 비스듬이 받는 것이 참법이니 가는 맥을 잘라버리니 사참이라고 한다.

右斬穴**이** 皆在於去山之腰**하여** 絶其腰而扦故**로** 曰斬**이라.** 盖山氣似去而眞氣**는** 陷於此處**하여** 去者**는** 還爲龍虎**하고** 抱彎穴處者**는** 是也**니라.** 若枉134)穴于去山之腰則速禍**니라.**

우측의 참혈이 모두 가는 산의 허리에 있는 것이어서 그 허리를 잘라버리고 묘를 쓰는 고로 참이라 한다. 대게 산의 기운은 가는 것 같지만 진기는 이곳으로 빠져서 가는 것은 빙 두른 것이 용호가 되고, 혈처를

---

133) 勒: 굴레, 새길, 억누를 , 다스릴, 묶을 륵
134) 枉: 굽을, 그릇칠 왕

포만하는 것이 이것이다. 만약에 가는 산의 허리의 그르친 혈은 화가 빠르다.

截變四法은 直木用之로 橫直大小니라.

1. 橫截: 側方開口處를 봐라!

息急而長直이면 用橫截法이니 形如橫佩刀劒135)하다.
성산주)꼭 개구처를 바라보고 향을 잡는 것은 아니나, 분금상 1~2分정도 정중앙에서 개구처에 다가서야 한다(한명회 조모 묘: 군부대 내에 있음)

  식상이 급하면서 곧게 길면 횡절법을 사용하니 그 형상은 횡패도검과 같다.

玄武嘴長(현무취장)

---

135) 일제 강점기때 일본인들이 칼을 찬 것처럼!

2. 大截

此는 息體緩故로 臻入息頂五六寸[136]하니 多在水星下하다.

 이는 식체가 완만한 고로 식상의 정상 5, 6촌 진입하니 수성아래에 많이 있다.

3. 小截

此는 息體急故로 抛出息下五六寸下[137]하여 多火星之下하다.
以上截法은 皆穴形直長者[138]而又穴處平坦하야 若露玄微處면 用工鑿開하야 以截其穴前尖嘴하야 去殺反爲官曜이니 盖截穴이 長故로 要左右有微微蟬翼[139]이오 不然則不眞이니라.

---

136) 맥식굴돌의 息 모양을 만들어 놓은 것의 위로 5~6촌이 息의 머리끝이 된다.
137) 중심점에서 5~6촌 내려 쓴다.

이는 식체가 급한 고로 식 아래에 5, 6촌 아래에 나오는데 화성 아래에 많다. 이상 절법은 모두 혈형이 곧게 길고, 또한 혈처가 평탄하여 만약 약간 노출된 곳이면 공사하여 뚫어서 열어서 혈 앞의 뾰쪽한 부리를 잘라서 살을 잘라서 오히려 관요가 되니 무릇 절혈이 긴 까닭으로 좌우에 미미한 선익이 있기를 요하며, 그렇지 않으면 진짜가 아니다.

---

138) 현무취장은 截法을 사용한다.
139) 印木을 의미한다. /鉗穴에서는 우각사를 지칭한다.

弔140)變四法은 上下左右니라.

1. 上弔(상조)141)

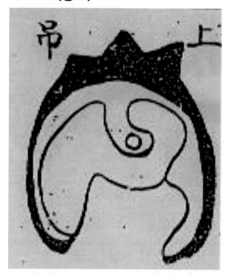

此는 息之高者에 息象이 緩故로 阡于息之首니라.

이는 식이 높은 곳에 있는 것으로 식상이 완만한 고로 식의 머리에 묘를 써야 한다.

---

140) 弔: 조상살 조(弔의 俗字)/ 이를 적
141) 발등에 쓴다.

2. 下吊(하조)[142]

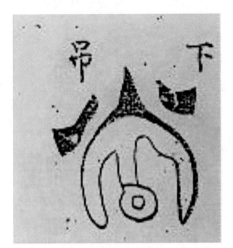

此는 息體高而後龍이 峻急故로 阡于息體之足하니라.

이는 식체가 높으면서 후룡이 준급한 고로 식체의 발에 묘를 쓴다.

3. 左吊(좌조): 조는 조금 높은 것/ 혈이 발등에 있음

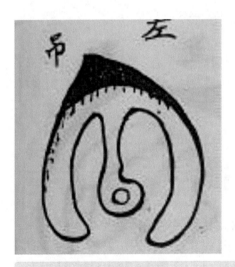

息急而高者를 是弔法이니 懸提其生氣也라 穴旣高露于脚上하야 形似垂釣之形이니라.

---

142) 발바닥에 쓴다.

식체가 급하면서 높은 것을 조법이라 하는데 생기가 들어 올려 매달려 있는 것이다. 혈은 이미 다리 위에 높이 노출되어서 그 형상이 낚시 바늘과 비슷한 형상이다.

4. 右吊(우조)

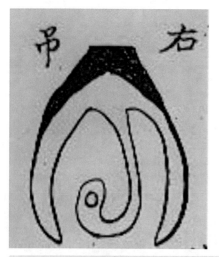

此는 息體下垂하야 穴頭回顧左者는 左吊요 右者는 右吊니 生氣吐出右邊者也니라.

이는 식체 아래에 드리워져서 혈의 머리는 좌측을 되돌아보는 것은 좌조요, 우측을 되돌아 보는 것은 우조니 생기는 우측 가장자리를 따라서 토해서 나오는 것이다.

盖吊穴이 穴頭에 多有回顧之意하야 生氣는 聚于回鉤之內하니 穴形이 如井低引瓶[143]之象하고 露于脚上하야 高者는 爲吊하고 入于脚下하야 低者는 爲墜也니라.

무릇 조혈이 혈 머리에 되돌아보고자 하는 뜻이 많이 있어 생기는 갈구리 내에 모이니 혈 혈상이 마치 우물 낮은 곳에 항아리를 놓은 상으로 다리 위에 노출되어 높은 것은 조가 되고, 다리 아래로 들어가고 낮은 것은 추법이 된다.

---

143) 瓶: 두레박, 항아리, 병, 단지, 시루 병

墜變四法은 遠近傍正이라.

1. 遠墜

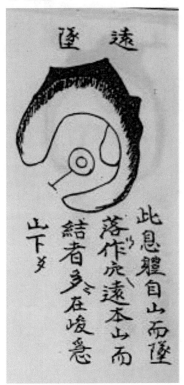

이것은 식체로 산에서 추법으로 락맥되어 혈을 맺으니 본래 산이 멀리
서 혈을 맺는 경우가 많다. 산이 준급한 곳의 아래에 있다.

2. 近墜

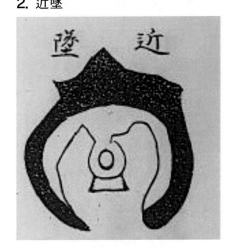

此는 息象이 墜落山低하야 穴形이 短縮하야 貼[144]於山根하고 不離本山者이니 但不宜後山峻急[145]이니라.

이는 식상이 산 밑에 추법으로 떨어져서 혈형이 짧고 긴축하여 산의 뿌리에 붙어있고, 본래 산에서 떨어질수 없는 것이니 다만 후산이 준급하면 안된다.

3. 傍墜

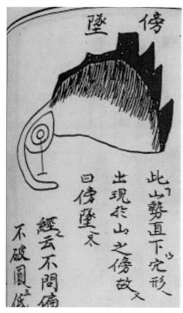

이것은 산세가 아래로 곧바로 내려가니 혈형이 산의 옆에 나타나는 고로 방추라 한다.

右墜法이 結於山下溱脚하야 阡法이 或方[146]或圓[147]하야 如岸低伏蟹하고 遠墜之形은 如床下擲蛛[148]하다. (溱: 많을, 성할, 강이름 진)

우측의 추법이 산 아래 진각에 맺어져서 추법이 혹 방, 혹 원하여 마치

---

144) 貼: 붙을, 전당잡힐 첩
145) 後山이 준급하면 더 멀리 떨어져야 한다.
146) 息을 의미
147) 息을 의미
148) 擲蛛척주(던칠, 벌릴, 노름할 척/ 거미 주)

낮은 언덕에 엎드려 있는 게와 같고, 원추의 형상은 마치 침상의 아래에 거미가 줄을 벌릴 것과 같다.

經에 云호대 不問偏斜幷破側하고 只要穴內枕子[149]大圓이라하고 又 云호대 高不破圓이오 低不脫脈이라하니 斯可言乘氣니라.

경에 운호대 편, 사, 병, 파, 측을 불문하고 다만 요하는 것은 혈내에 크게 둥근 식체가 있어야 하고, 또 운호대 높으면서 둥근 것을 깨지 아니해야 되고, 낮 돼 맥과 떨어지지 않아야 하고, 이것을 가히 승기라 말한다.

---

149) 息體를 말한다.

窟150)變四法圖는 平地陽龍用이라

1. 狹(沈)正151)

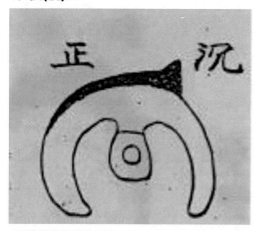

　此는　窟之狹者故로　用正法하야　當中深放棺이니　中正爲義故로　曰正
이라
天然無饒減하니　凡穴星이　皆有變體而惟正穴不變152)하고　但有浮有沈
하다.

　이는 굴이 좁은 고로 정법을 쓰는데 마땅히 가운데 깊이 관을 놓아야
하니 가운데 바른 곳을 의미한 고로 正이라 한다. 천연적으로 요감이 없
는 것이니 무릇 혈성이 모두 변체가 있는데 오직 정혈은 상하좌우 변함
이 없는 것인데 다만 浮가 있고, 沈이 있다.

---

150) 窩를 말한다.
151) 正이란 중앙을 말한다./ 沈正이 아니라 狹正이다.
152) 상하좌우로 불변함을 말한다.

2. 濶(正)求

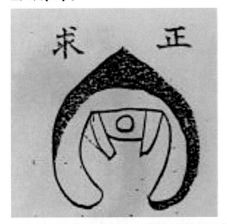

此는 窟之濶者니 生氣潛[153]藏于窟[154]鉉하여 搜[155]求生氣而葬故로 曰 求法이니 上不容下하고 下不必上[156]하여 斯義用之니라.

이는 굴이 넓을 것이니 생기는 굴현에 깊게 잠겨있어 생기를 구해서 장하는 고로 구법이라 하는데 위로 붙여도 밑에 너무 넉넉하면 안되고, 아래로 붙여도 위가 너무넉넉하면 안되는데 이것을 사용하니라.

---

153) 潛: 자맥질할, 땅속을 흐를, 잠길, 몰래, 달아날, 깊을 잠
154) 움푹 패인곳을 말한다.
155) 搜: 찾을, 고를, 많을, 가릴 수
156) 위로 붙여도 밑에 너무 넉넉하면 안되고, 아래로 붙여도 위에 너무넉넉하면 안된다.

3. 沈架[157]

　이것은 굴이 깊은 것이니 좌우가 고압하여 살기가 아래에 침입하면 마땅히 기를 뽑아서 관을 놓으니 그 법에 4각에 돌로 채우거나, 흙을 채우거나, 나무로 채우거나 해서 그 위에 널을 놓는다. 架法으로서 옳은 것이다. 正法과 더불어 서로 비슷하여 正法이 窟狹이오, 가법이 바로 굴 심이니 교혈은 천연적으로 제가 불변하고, 다만 부침이 있다.

---

157) 좁고 깊다는 뜻

4. 淺(濶)折158)

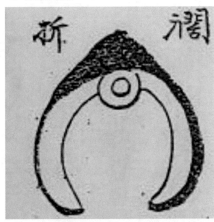

濶折이 아니라 折淺이다.

此는 窟之淺者이니 生氣出浮于上하야 量脈而阡하고 折其氣窟鉉而用之而深不過五요 淺不失三이니 折之義詳이니라.(三과 五159)는 天地數이다.)

이는 굴이 얕은 것이니 생기는 떠서 위로 나오니 맥을 헤아려서 묘를 쓰고, 그 氣의 窟鉉을 잘르는데 깊어도 5치를 넘어서도 안되고, 부토해도 불과 3치를 넘어서도 안되니 절법의 올바른 것이다.

---

158) 넓고 낮게
159) 3치 이상 부토해서도 안되고, 5치 이상 파도 안된다.

正有兩法은 浮沈이라.

1. 浮正

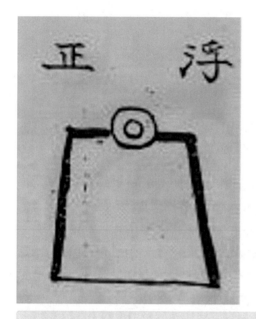

此는 窟之狹者로 在於山頂**하야** 生氣**는** 上浮故**로** 曰 浮**이니** 沈正在
上故**로** 不式**이니라.**

이는 굴이 좁은 것으로 산정에 있어서 생기는 위에 뜨는 고로 浮라 하
니 침정은 위에 있는 고로 不式이니라.

2. 浮架

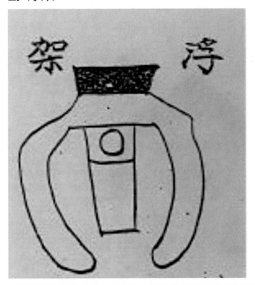

此는 窟之深者니 在於山頂故로 曰浮架니라.
성산 주) 혈 밑에 네모난 것을 메꾼다.

이는 굴의 깊은 것이니 산정에 있는 고로 浮架라 한다.

求變四法은 正傍淺深이라

1. 傍求

此는 窟之濶者니 生氣는 露於一偏故로 曰 傍求也니라.

이는 굴이 넓은 것이니 생기는 한쪽으로 노출되는 고로 傍求라 한다.

2. 淺求

此는 窟之濶者니 在於山頂하야 氣浮淺阡으로 淺求이니 盖求法이 在
山頭曰 淺求요 在山麓曰 沈求요 又窩邊에 有泡破泡而阡曰 淺求요
接泡而扦曰 深求也니라

이는 窟이 넓은 것이니 산정에 생기가 있어 氣가 떠 있어 낮은 곳에
묘를 쓰니 淺求이니 무릇 求法이 산 머리에 있어 淺求라 하고, 山麓에
있어 沈求라 하고, 또한 窩邊에 泡가 있어 泡를 깨뜨리고 묘를 쓰는 것
을 淺求요, 泡에 접해서 묘를 쓰는 것을 深求라 한다.

3. 深求

此는 窟之濶者니 在於山麓氣沈하야 深阡曰 深求이니 且窟絃生氣吐出有微泡之下腰脈하니 用深入故로 名深求니라.

이는 굴이 넓은 것이니 산록에 기기 가라앉아 있어어 깊게 묘를 쓰는 것을 深求라 한다. 또한 굴의 현에 생기가 토출하여 약간의 泡의 아래에 요맥이 있으니 깊게 들어가는 고로 이름하여 심구라 한다.

以上은 求穴이 皆是濶窩而窟象은 皆同하야 窟絃生氣吐出之情 或正或傍或左或右하야 求生氣所到處用之故로 以求爲名이니라.

이상은 求穴이 모두 활와의 굴상은 모두 같아 굴현에 생기가 토출하는 情이 혹正, 혹傍, 혹左, 혹右하여 생기가 도달하는 곳을 구법으로 용사하는 고로 求라는 이름이 된다.

折變四象은 澗挾半全이라

1. 挾折

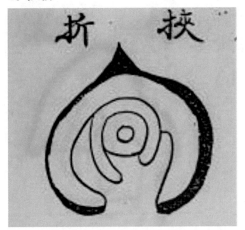

此는 窟象이 旣淺而挾故로 曰挾折也니라.

성산주) 협절은 위를 따내고 시신을 넣는다.

이는 굴상이 이미 얕게 끼워 있는 고로 협절이라 한다.

2. 半折

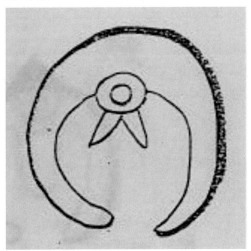

此는 窟象이 不濶不狹而上緩下虛故로 扞其窟弦上邊一半故로 曰半折이니라.

이는 굴상이 넓지도 않고, 좁지도 않으면서 상하로 움직이지 아니하는 고로 굴상의 현릉 상변하나 반에 천하는 고로 반절이라고 한다.

3. 全折

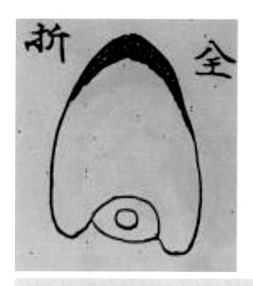

此는 亦窟象而淺而不緩不急이니 制截之法이 上不離窟暈하고 下不離窟弦者也니라.

이는 또한 굴상이 얕으면서 완만하지도 않고, 급하지도 않은 것이니 재단하고 끊는 법이 위로는 굴훈과 떨어지지 아니하고, 아래로도 굴현과 떨어지지 아니하는 것이다.

右折穴이 皆是結窩이니 窟穴生氣는 不現於窟暈之內하고 見於窟弦之頂者는 乃爲折穴이니 盖圖式에 盡其大槩而不盡其巧하니 爲此術者는 幸無至於接圖而索驥焉하라.
*槩: 평미래, 누를, 억압할, 풍채 개
*驥: 천리마, 뛰어난 인물, 준재 기
*索: 찾다, 가릴, 다할, 어질 색

우측의 절혈이 모두 와에 결혈하는 것이 이것이니 굴혈의 생기는 굴훈의 內에는 나타나지 아니하고, 굴현의 꼭대기에 나타나는 것은 절혈이 되는 것이니 대게 도식에 의하면 용진처에 이르러 크게 넓고, 용진처에 이르지 아니한 것은 기교함이니 이러한 술법을 하는 것은 다행한 것은 그림에 접근되어 이르지 아니한 것에서 뛰어난 것을 찾는 것이다.

突變四象은 平地陰龍에 用之라

1. 右挨

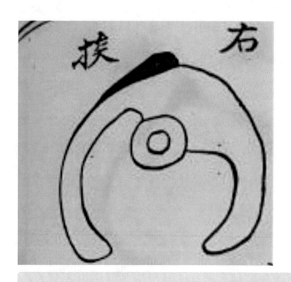

突之單者는 時用挨法이니 穴形이 多邊實併邊虛하야 高爲實이오 低
爲虛이니 且靠定高者扞之는 乃脈取實也니라.

돌이 하나인 것은 때때로 애법을 쓰니 혈형이 변이 실한 것이 많고, 아
울러 변이 허하여 높은 것은 실이요, 낮은 것은 허이니 또한 높는 곳을
의지해서 묘를 쓰는 것은 맥의 실을 취하니라.

2. 半併

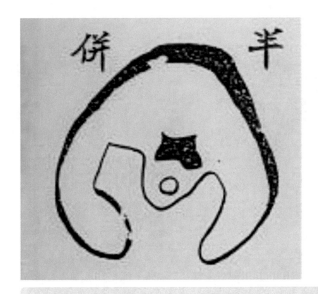

突之雙者는 用併法이니 乃突象이 一長一短一大一小者는 是也니라.
取短而小者를 扞之하고 更裁長邊하야 補其短處하고 封培爲塚하야 合
二爲一故로 曰併이니라.

돌이 두 개인 것은 병법을 쓰는데 돌상이 하나는 길고, 하나는 짧고,
하는 크고, 하나는 작은 것이 이것이니 짧고 작은 것을 취해서 묘를 쓰
고, 다시 긴 변을을 재단하여 짧은 것을 보강하고 두 개를 아우러서 봉
분을 조성하고 두 개를 합해서 하나로 하는 고로 왈 병이라 한다.

3. 右斜

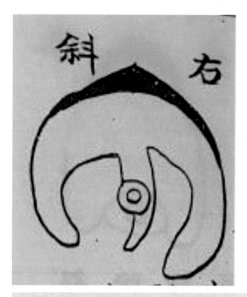

突이 脈正直則生氣는 斜出故로 曰斜이니 正則取斜하고 直則取曲이
是니 斜穴이 有進有退有多有寡니라.

돌이 맥이 곧바로 바르게 있으면 생기는 옆으로 살짝 비켜 나오는 고
로 曰 斜라 하니 바르면 斜를 취하고, 곧으면 곡을 취하는 것이 이것이
니 斜穴이 進退多寡가 있느니라.

4. 左揷160)

突之偏者는 爲揷穴이니 以裁揷爲義也니라.

돌이 편측에 있는 것은 삽혈이 되니 삽법으로 재혈하는 것이 바른 것이
다.

---

160) 청룡쪽으로 치우쳐서 묘를 쓴다.

挨變四法은 輕重左右니라.

1. 輕挨161)

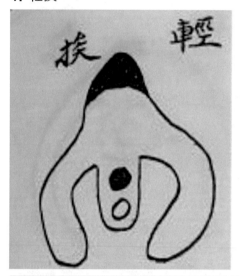

此는 單突이 勁直162)故로 挨其盡處163)避硬164)取軟165)而扦故로 曰
輕挨니라.

이는 하나의 돌이 경직된 고로 끝나는 곳에 붙이고 경한곳을 피하고,
연한 곳을 취해서 묘를 쓰는고로 왈 경애라 한다.

2. 重挨166)

---

161) 밑으로 내려 쓰는 것
162) 작대기처럼 쭉 뻗어 버린 것
163) 끝나는 곳
164) 硬은 靜(死)한 곳을 말한다./ 濶역시 靜(死)한 곳이다.
165) 軟은 動(生)한 곳을 말한다./ 狹역시 動(生)한 곳이다.
166) 위로 올려붙이는 것

이는 단돌이 평탄하는 것이니 그 뇌쪽에 붙여서 허한 곳을 피하고, 실한 곳에 붙이는 것이다.

3. 左挨

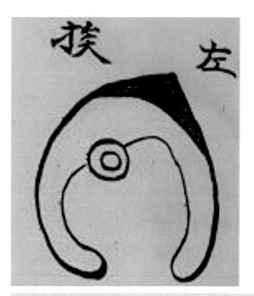

此는 突之單者**이니** 邊高邊低**하야** 左邊實則挨其實處左故**로** 曰左挨**니
라**.

 이는 돌이 하나이니 변고변저하여 좌변이 실하면 실한 좌측으로 붙이
는 고로 왈 좌애라 한다.

4. 右挨

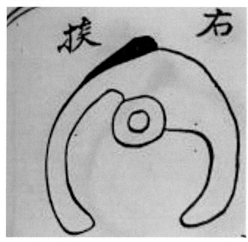

突之單者는 時用挨法이니 穴形이 多邊實倂邊虛하야 高爲實이오 低爲虛이니 且靠定高者扞之는 乃脈取實也니라.

돌이 하나인 것은 때때로 애법을 사용하니 혈형이 변이 실한 것이 많은 것을, 변이 허한 것을 아우러서 높은 것은 실이 되고, 낮은 것은 허가 되니 또한 높은 것을 의지하여 묘를 쓰는 것은 그맥의 실한 곳을 취하니라.

盖挨者는 接取生氣也[167]라 單突이 分明하야 邊高邊低者를 不可破突故로 挨者는 接其生氣而扞也라 挨制之法이 如接生木而求生하야 挨於一邊者가 是也니라.

무릇 애법은 생기를 취해서 접속하는 것이다. 단돌이 분명하면 변고변저를 돌을 깨지 않는 고로 애법은 생기에 접속하여 扞하는 것이라. 애법으로 제재하는 법이 생목에 접속하여 생기를 구하는 것과 같아서 한 변으로 붙이는 것이 이것이니라.

---

167) 나무에 접붙이는 것과 같다.

併有四法이니 大小半全이라.

1. 大併

이는 쌍돌이 모두 크게 드리워져 있어 그 둘 사이를 아우러서 扦하는 고로 왈 대병이라 한다.

2. 小倂

此는 突雙이 齊垂하야 一巨一小면 取其小者兩扦故로 曰小倂이라

이는 쌍돌이 가지런하게 느러뜨리고 있어 하나는 크고, 하나는 작으면 작은 것을 취해서 둘을 扦하는 고로 왈 소병이라 한다.

3.全併

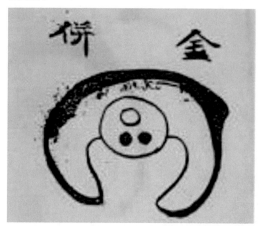

　이는 쌍돌이 모두 평탄처에 나타나는 고로 쌍돌의 꼭대기로부터 손가
락이 갈라지는 곳에 쌍맥을 온전히 취해서 扦 하는 고로 왈 전병이라
한다.

4. 半併

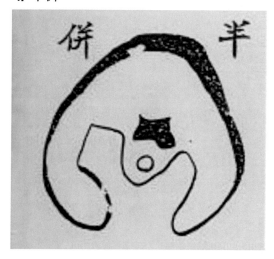

---

168) 손가락이 막 갈라지는 곳=운동이 시작되는 곳

突之雙者는 用倂法이니 乃突象이 一長一短一大一小者는 是也니라.
取短而小者를 扦之하고 更裁長邊하야 補其短處하고 封培爲塚하야 合
二爲一故로 曰倂이니라.

돌이 쌍인 것은 병법을 사용하니 돌상이 하나는 길고, 하나는 짧고, 하
나는 크고, 하나는 작은 것이 이것이니라.
짧고 작은 것을 취해서 扦하고, 다시 긴 변을 재단해서 짧은 곳을 보강
하고, 봉분을 조성하고 무덤을 만들어 두 개를 합해서 하나로 만드는 고
로 왈 병이라 한다.

盖倂穴이　皆雙突而或在於圓暈之內하야　隱微者요　或兩突明現者도
是也니라.
兩突一長一短하야　取其短而倂補長者는　是半倂兩突長短이　俱齊하야
一巨一細者는 扦其細而倂其補巨者가 是小倂也라 俱硬者는 扦兩突之
下하고 俱緩者는 扦兩突之頂也니라.

무릇 병혈이 모두 쌍돌이 혹 원훈내에 있는데 은미한 것도 있고, 혹 양
돌이 분명히 나타난 것도 있다.
양돌이 하나는 길고, 하나는 짧은데 짧은 것을 취해서 아울러 긴 것을
보강하는 것은 이것이 바로 반병, 양돌의 장단이 모두 동일하여 하나는
크고, 하나는 가는 것은 세를 취해서 천하되 아울러 큰 것을 보강하는
것이 이것이 소병이라. 모두 硬한 것은 양돌 아래에 扦하고 모두 완만한
것은 양돌의 꼭대기에 扦하니라.

斜有四法**이니** 左右多寡**니라.**

1. 左斜

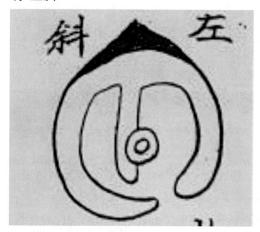

此는 突脈**이** 直下於左邊**하야** 吐出生氣**하니** 斜扦於左者**니라.**

이는 돌맥이 좌변으로부터 직하하여 생기를 토출하니 斜法**은 좌측에** 扦**해야 한다.**

2. 右斜

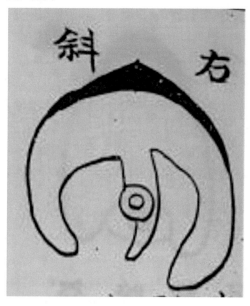

突이 脈正直則生氣는 斜出故로 曰斜이니 正則取斜하고 直則取曲이 是니 斜穴이 有進有退有多有寡니라.

돌의 맥이 正直하나 생기는 옆으로 빗겨 나오는 고로 斜法이라 한다. 바르면 斜를 취하고, 곧으면 曲을 취하니 이것이 斜穴이니라. 사혈은 進. 退.多.寡가 있느니라.

3. 多斜

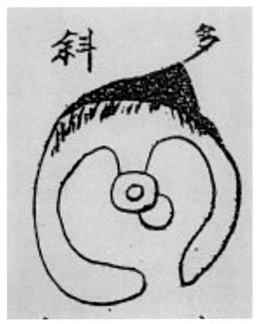

此는 突脈이 直而緩故로 斜切突體而扦曰多斜이니 多者之義는 與重 과 同이니라.

이는 돌맥이 곧으면서 완만한 고로 빗스듬히 끊어 돌체에 扦하니 多斜 라 하니 多者의 뜻은 重과 같은 것이다.

4. 寡斜

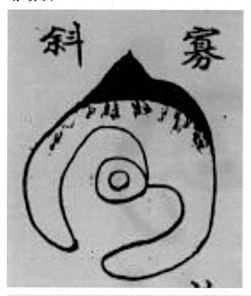

此는 突脈이 直而硬急故로 抛出突邊而扦故로 曰寡斜니라.

이는 돌맥이 곧으면서 硬急한 고로 抛出한 突의 邊에 扦한 고로 寡斜
라 한다.

右斜法은 多是長突正直者이니 盖直者는 不可直受요 斜地가 其生氣
이니 且生氣穴法이 出於斜處故也니라 突之全體正直而圓暈하야 突象
이 斜出者가 是也니라.

우측의 斜法은 많은 것이 長突正直이니 무릇 直은 直受는 불가함이요,
斜地가 생기이니 또한 生氣穴法이 斜處로부터 나오는 까닭이니라.
突의 전체가 正. 直하면서 圓暈하는 것이 突象이 斜出하는 것이 이것이
니라.

揷169)法四變하니 左右高低니라.

1. 左揷170)

突之偏者는 爲揷穴이니 以裁揷爲義也니라.

突이 한 곳으로 치우친 것은 揷穴이 되는 것이니 揷法으로 재단하는 것이다.

---

169) 횡결로 45도 이상 돌아서 맥이 들어온 것을 말한다.
170) 청룡쪽으로 치우쳐서 묘를 쓴다.

2. 右揷

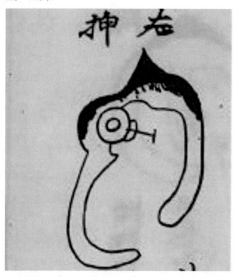

此는 突之偏者이니 在於右故로 揷于右라 若生氣聚於左則揷于左니
라.

성산주) 暈이 있는 곳을 찾으라는 의미이다. 여기를 가야 暈이 도니
暈을 찾아서 쓰라는 의미이다.

이는 돌이 한 쪽으로 치우친 것이니 우편에 있는 것이 右揷이라 한다.
만약 생기가 좌편에 모여 있으면 左揷이라 한다.

3. 高揷

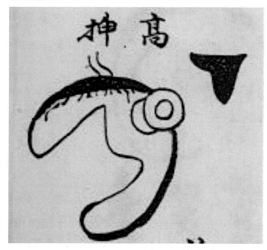

此는 突之偏者이니 在高處故로 曰高揷이니 要有後樂이니라.

이는 돌이 한쪽으로 치우친 것이니 높은 곳에 있는 까닭으로 高揷이라 하는데 뒤에 락산이 있어야 한다.

4. 低揷

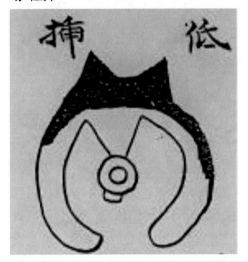

此는 突之偏者이니 後脈이 峻急故로 突象이 在低處하야 乃避急取 緩是也니라.
성산주)急하면 死氣處가 되고, 완만하면 動處(生氣處)가 되어 음양교 구가 된다는 말이다.

이는 돌이 한쪽으로 치우친 것이니 후맥이 준급한 고로 돌상이 저처에 있어 급한 곳을 피해서 완만한 곳을 취한다.

右揷法은 皆出於偏突而左右之揷이 皆是不緩不急하야 與直撞相似而 撞法은 乃脈之似者이오 揷法은 乃突之偏者也니라.

우측의 삽법은 모두 편돌의 좌우삽에서 나온 것이다. 모두 완만하지도 않고, 급하지도 않는 것이다. 직당과 서로 비슷하여 당법은 맥법과 비슷 하다. 삽법은 돌의 편측을 말한 것이다.

以上穴圖는 皆脈息窟突171)四象中에 變幻而細現이니 詳察則至玄至妙 之理를 可得而知也니라

이상 혈도는 모두 脈.息.窟.突의 사상 중에 변환하여 세밀히 나타나니 상세히 관찰하면 현묘한 이치에 이르게 됨을 알게 될 것이다.

凡穴之變體는 繫於緩, 急, 强, 弱, 橫172), 斜173), 偏, 正之不同**이나** 然**이나** 有似是而非**니라.** 穴形이 雖合於此**라도** 要看上毬174)下簷175)**과** 上分下合176)**하고** 且看龍虎主案**과** 明堂朝對**와** 砂水官曜**와** 及至橫龍 結穴은 鬼樂眞的者 爲眞**이요** 非此則虛結也**니라.** 且裁制之法177)은 能 明十二杖訣然後에 乃得其眞**이니라.**

무릇 혈의 변체는 완, 급, 강, 약, 횡, 사, 편, 정에 매달리는 것이 같지 않으나 그러나 비슷하가는 하나 비슷하지 않는 것이다. 돌형이 비록 이와 같이 합하더라도 상구하첨과 상분하합을 보기를 요하고,
또한 용호주안과 명당조대와 사수관료와 횡룡결혈에 이르기까지 보는 것은 귀사와 락사가 참된 것이 진짜요, 이러하지 아니하면 결혈하지 아니한다. 또한 재단하는 법은 능히 12도장법을 밝게 한 연후에 그 참됨을 얻게 되리라.

---

171) 穴之母
172) 45도 이상 횡으로 들어온 것
173) 이수기로 30도 이내로 들어온 것
174) 승금
175) 순전
176) 1분합
177) 재혈의 법

<부록3> 동사심전 주해

동사심전의 지리학의 강령

傳心妙方券之一 『道銑禪師得法於中國하야 傳於東方也라. 玉龍寺는
名道銑禪師 所居之菴也니라.』

『도선선사가 중국에서 법을 터득하여 동방에 전해준 인물이다. 옥룡사는
이름하여 도선선사가 머무르던 암자이다.』

玉龍子曰 地理에 有四科하니 龍穴砂水而已라.

옥룡자께서 말씀하시기를 지리에는 네가지 중요한 과제가 있으니 이름
하여 용, 혈, 사, 수라 한다.

此一節은 地理之綱領也라.
易有太極하고 太極은 生兩儀하고 兩儀가 生四象하고 四象이 生八卦
하고 八卦가 生 64卦하고 64卦가 生4096卦하니라.

차일절은 지리학의 강령이다.
역에는 태극이 있고, 태극은 양의를 생하고, 양의는 사상을 생하고, 사상
은 팔괘를 생하고, 팔괘는 64괘를 생하고, 64괘는 4096괘를 생하니라.

此一節은 言易理之變化니라.
夫龍者는 生也니 合陰陽이라사 能變化也하나니 『升天入地하고 能大
能小者는 如龍故로 謂之龍이라.』 是所謂太極이요 龍有陰陽龍하니 是
所謂兩儀요 『龍之有脊者는 爲陰하고 龍之上平者는 爲陽이라』 兩儀에
有老小하니 是所謂四象이요 『平面을 謂之少陽하고 仰掌을 謂之老陽
하며 伏掌을 謂之少陰하고 釰脊을 謂之老陰이라』 四象에 有高平圓直
細巨薄豊是하니 所謂八卦라 八卦相盪則有六十四卦요 六十四卦交易則
爲四千九十六卦라
*盪(씻을, 흔들리는 모양 탕/ 밀다, 밀어 움직이다, 갈마들다<=서로 번
갈아 들다>, 이동하다, 방종하다, 무릅쓰다. 흔들다.)

차일절은 역리의 변화를 말한 것이니라.

무릇 용이라는 것은 살아있는 것이니 음양을 합하여야 능히 변화를 한 것이니 하늘로 승천하고 땅에 들어가며, 능히 크고, 작게 하는 것이 용과 같아서 이것을 일커러서 용이라고 한다. 이것을 일커러서 태극이요, 용에는 음용과 양용이 있으니 이것을 소위 양의라 하며, 용에는 산등성이가 뾰쪽한 것은 음이 되고, 용이 상부가 평평하면 양이라고 한다. 양의에는 젊은 것과 늙은 것이 있는데 이것을 일커러서 사상이라고 한다. 평면을 일커러서 소양이라고 하고, 손바닥 같이 옴팍한 것을 일커러서 노양이라고 하고, 손바닥을 엎어놓은 것처럼 생긴 것을 일커러서 소음이라고 하고, 산등성이가 뾰쪽하게 생겼으면 이것을 말하여 노음이라고 한다. 사상에는 고, 평, 원, 직, 세, 거 박, 풍이 이것이니 소위 팔괘라 한다. 팔괘가 서로 번갈아 돌면 64괘가 되고, 64괘가 교역하면 4096괘가 된다.

> 此一節은 論龍格이라.
> 易之理以動爲陽하고 以靜爲陰而地理는 本陰故로 求陰於動은 動極生陰之意요 求陽於靜은 靜極生陽之意라 盖動極生陰而陰之理慘截하고 靜極生陽而陽之理發舒하니 此乃陰中之陰陽也라

차일절은 용격을 논한 것이다.

역의 이치는 動한 것을 양으로 하고, 靜한 것을 음으로 하는 것인데 지리는 본래 음인고로 동처에서 음을 구하고, 動이 極에 이르면 陰이 생기는 이치요, 靜處에서 陽를 구하는 것은 靜處가 極에 이르면 陽이 생기는 뜻이라. 대개 動處가 극도로 커지면 陰이 생기고, 陰은 혹독하게 끊어질 정도로 시련을 감당해야 하고, 靜處가 극도로 커지면 陽이 생기는데 陽이 서서히 머금고 새싹이 움터 나오는 이치이니 이것이 陰中之 陰陽인 것이다.

此一節은 論陰陽이라 圖見下篇하라

차일절은 음양을 논한 것이니 아래의 그림을 보라.

陽龍圖

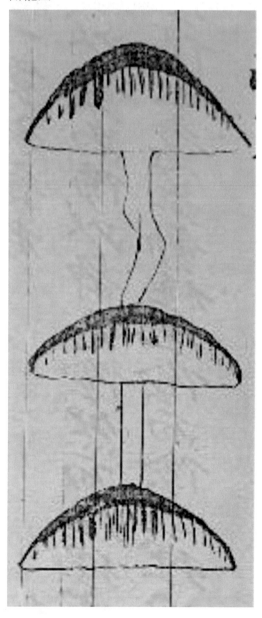

陰龍圖

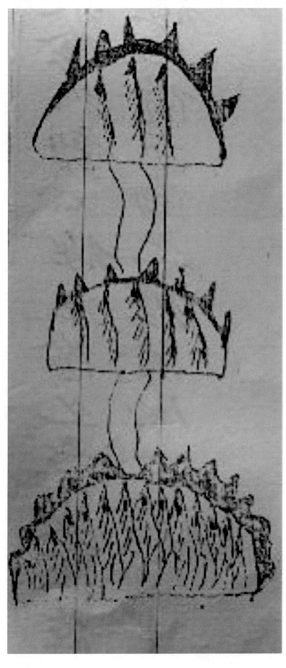

兩儀旣分**에** 四象斯立**하니** 四象者**는** 老陽老陰**과** 少陽少陰也**라** 旣有老少之形[178]**則**亦有老少之名**하니** 老陰**이** 形如釖脊**하야** 名曰幹龍**이요** 少陰**은** 形如覆尾**하야** 名曰隴龍**이요** 少陽**은** 形如平面**하야** 名曰麓龍**이요** 老陽**은** 形如仰掌**하야** 名曰枝龍**이니** 此乃歸藏之法**으로** 以坤爲首者也**라**

『夏曰連山**이요** 殷曰歸藏**이요** 周曰周易**이니라**』

*以坤爲首隴龍者也**니라**

양의는 이미 나누어져 있고, 사상은 곧 성립되었으니, 사상이라는 것은 노양, 노음과 소양, 소음을 말한 것이다. 이미 노소지형이 있는데 또한 노소지명으로 나눌 수 있다. 노음은 그 형상이 맥척이 날카롭게 생겼으나 둔하여 간용이라 하고, 소음은 그 형상이 꼬리를 엎어 놓은 것을 이름하여 농용이라 하고, 소양은 그 형상이 평면과 같아 이름하여 산기슭의 용과 같고, 노양은 그 형태가 손바닥과 같아 이름하여 지룡이라 하니 이것은 귀장지법으로 곤괘가 머리가 된다.

『하나라는 연산역이요, 은나라는 귀장역이요, 주나라는 주역이니라』

곤괘로 입수가 되는 것을 농룡이 된다.

---

178) 겉모양을 의미

此一節은 論四象이라 圖見下篇하라

차일절은 사상은 논할 것이니 도견하편하라

老陰釰脊幹龍圖

少陰覆尾隴龍圖

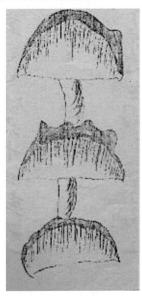

老陽仰掌 枝龍圖

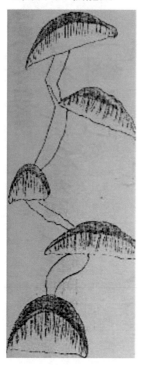

少陽平面 麓龍圖

四象이 相分하야 八卦成하니 八卦者는 高平圓直細巨薄豊也라

高者는 幹上加幹하니 坤也요

平者는 枝上加枝하니 乾也요

圓者는 枝上加隴하니 兌也요

直者는 幹上加麓하니 艮也요

豊者는 隴上加麓하니 巽也요

薄者는 麓上加隴하니 震也요

巨者는 幹中有枝하니 坎也요

細者는 枝中有幹하니 離也니라

此乃相盪179)之法이니 伏羲之意180)也라

사상이 서로 나뉘어 팔괘가 이루어지니 팔괘라는 것은 고.평.원.직.세.거. 박.풍으로 나뉜다. 高字는 幹龍 위에 幹龍이 더해진 것으로 곤괘가 되고, 平이라는 것은 枝龍 위에 枝龍이 더해지니 건괘가 되고, 圓이라는 것은 枝龍 위에 隴龍이 더해진 것이니 태괘가 되고, 直이라는 것은 幹龍 위에 麓龍이 더해지니 간괘가 되고, 豊이라는 것은 隴龍 위에 麓龍이 더해지니 손괘가 되고, 薄이라는 것은 錄龍 위에 隴龍이 더해지니 진괘가 되고, 巨라는 것은 幹龍 중에 枝龍이 있으니 감괘가 되고, 細라는 것은 枝龍 중에 幹龍이 더해지니 이괘가 된다.

---

179) 動의 의미
180) 음양대대의미하고 선천대대를 의미한다.

古典　동사심전의 논팔괘는 무엇인가?

此一節은 論八卦인데 圖見下篇하라

차 일절은 팔괘를 논한 것인데 도견하편하라

성산주) 形勢에 卦를 붙인 것이고, 山의 形으로 붙여 놓은 것이다.

高爲坤

平爲乾

圓爲兌

直爲艮

豊爲巽

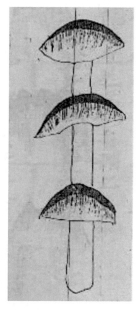

薄爲震

巨爲坎

細爲離

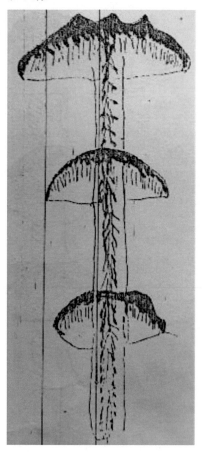

圓 ☲	平 ☰	豊 ☳
細 ☲		巨 ☷
薄 ☷	高 ☷	直 ☷

八卦之形體는 非眞八卦也요 見其狀而假[181]之名者也라 然後에 見河圖之理盈於天地之間하야 無往而不在也니 盖龍之體도 不外乎아 此八者而 八者之形에 亦有八者之狀이니라 旣有其象則必有其理하고 旣有其理則必有其氣하니

"氣雄者는 爲高하야 陰之盛也로 遇枝而結氣하고
氣弱者는 爲平하야 陰之死而陽之盛也로 遇脊而 結氣하고
氣聚者는 爲圓하야 遇直而結氣하고
氣散者는 爲直하야 遇圓而結氣하고
氣多者는 爲豊하야 遇薄而結氣하고
氣小者는 爲薄하야 遇豊而結氣하고
氣濁者는 爲巨하야 遇細而結氣하고
氣淸者는 爲細하야 遇巨而結氣하니 此乃陰陽交媾之理라"『地本陰氣故로 氣之有無로 卜其陰陽也라』八卦而三變則爲二十四하니 至此에 象理粗[182]備와 善惡이 分矣인데 上應天時하야 而有二十四節하니 下應方位하야 有二十四位하니 龍之貴賤이 於是分矣니라.

팔괘의 겉 모양은 참된 팔괘가 아니요, 그 상대를 빌려다가 각 이름을 붙인 것이다. 그 이름을 붙인 연후에 하도의 이치를 보아야 할 것이며, 천지간에 차고 가는 것도 없고 있지도 않도다. 대개 용의 체도 없는 것이다. 이러한 팔자라는 것은 여덟가지의 형에 8가지의 형상이 있는 것이다. 이미 그 형상이 있으면 반드시 하도의 이치와 팔괘의 이치가 있는 것이다. 이미 하도와 팔괘의 이치가 있으면 필히 그 기가 있는 것이다. 기가 웅장하면 高하여 음이 성하여 지룡을 만나서 결기하게 된다. 기약자는 平하여 음이 죽는 고로 양이 성하여 척을 만나서 결기하게 된다. 기취자는 圓하여 直을 만나서 결기하게 된다. 기산자는 直이 되므로 圓을 만나야 결기하게 된다. 기다자는 豊이 되니 薄을 만나야 결기하게 된다. 기소자는 薄이 되므로 豊을 만나야 결기하게 된다. 기탁자는 巨가 되니 細를 만나야 결기하게 된다. 기청자는 細가 되니 巨를 만나야 결기하게 된다. 이것이 음양교구의 이치인 것이다.『지리라는 것이 본래 陰氣인 고로 氣의 유무로 음양을 변별한다.』

---

181) 가짜가 아니라 빌려다가의 의미
182) 俱자가 아니겠는가!

팔개가 삼변하면 24가 되니 그 상의 이치의 구비로 선악이 나눠지는 것인데 위로는 천시인 24절기에 응하고, 아래로는 24방위에 응하게 되니 용의 귀천이 이것으로부터 나누어지게 된다.

古典　동사심전의 논24룡은 무엇인가?

此一節은 論二十四龍이니라

高龍에 迎送又高者는 謂之怒龍이요

高龍에 迎送平緩者는 謂之强龍이요

高龍에 迎送飛揚者는 謂之狂龍이요

平龍에 迎送高峻者는 謂之德龍이요

平龍에 迎送飛揚者는 謂之遊龍이요

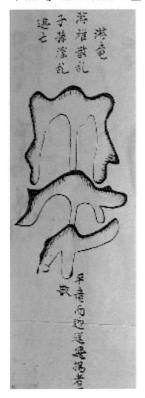

平龍에 迎送又平者는 謂之懶龍이요

圓龍에 迎送又圓者는 謂之劫龍이요

圓龍에 迎送平直者는 謂之福龍이요

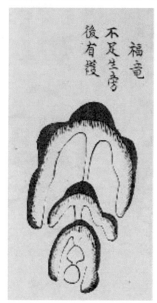

圓龍에 迎送欹?陷者는 謂之病龍이요

直龍에 迎送又直者는 謂之死龍이요

直龍에 迎送平圓者는 謂之生龍이요

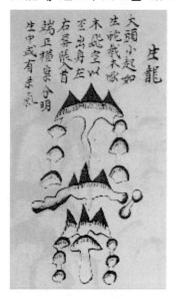

直龍에 迎送攲斜者는 謂之弱龍이요

豊龍에 迎送又豊者는 謂之雌龍이요

豊龍에 迎送緩薄者는 謂之雄龍이요

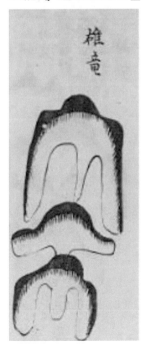

豊龍에 迎送硬短者는 謂之伏龍이요

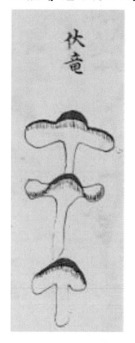

薄龍에 迎送又薄者는 謂之退龍이요

薄龍에 迎送豊嫩者는 謂之進龍이요

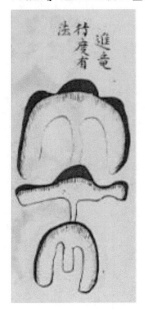

薄龍에 迎送硬細者는 謂之傷龍이요

巨龍에 迎送又巨者는 謂之殺龍이요

巨龍에 迎送嫩細者는 謂之旺龍이요

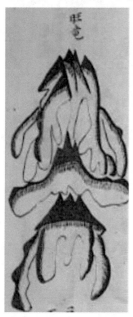

巨龍에 迎送顧後者는 謂之逆龍이요

細龍에 迎送又細者는 謂之偏龍이요

細龍에 迎送巨抱者는 謂之正龍이요

細龍에 迎送中斷者는 謂之絶龍이니라

高龍에 영송사가 또한 높으면 이것을 일커러서 怒龍이라 하고, 主亡家
한다.

<奔馳峯巒險惡子孫大惡無後怒中或有生氣>

高龍에 영송사가 평평하고 완만하면 이것을 强龍이라 하고, 猛將이 출한다.

高龍에 영송사가 바람에 흩날리듯이 벌어지면 이것을 狂龍이라 하고, 主淫家한다.

<局依不舒暢背戾无收收洩然无受子孫大惡癩邪/ 癩: 나환자 나(라), 악의 독가가날 랄(날)/ 戾: 어그러질 태, 어그러질 려, 돌릴 렬(열)>

平龍에 영송사와 주변의 호대가 높고 준험하면 이것을 德龍이라 하고, 出聖賢한다.

<或曰應龍 或無橫案 左右回抱子孫忠孝>

平龍에 영송사가 양쪽으로 벌어지면 이것을 遊龍이라 하고, 主遊散한다.

<遊離散亂子孫淫亂逃亡>

平龍에 영송사가 다시 평평하면 이것을 懶(게으를 나)龍이라 하고, 主微弱한다.

<節長勢懶一無勇氣子孫貧賤絶祀>

圓龍에 영송사가 다시 둥글고 원만하면 이것을 劫龍이라 하고, 出變懆 子孫殺戮破滅한다.<分劈重多>

圓龍에 영송사가 평평하면서 곧게 쭉 뻗었으면 이것을 福龍이라 하고, 多官爵子孫富貴한다.<不足生旁後有護>

圓龍에 영송이 기울어지고 함하게 생겼으면 이것은 病龍이고, 出病人한다.<敧側崩破産難長病>

直龍에 영송이 또한 직하면 이것은 死龍이고, 主絶祀子孫死喪不絶한다.<不能轉動>

直龍에 영송이 평원하면 이것을 生龍이라 하고, 多子孫壽富貴한다.

<大頭小起如生蛇截木啄木飛空以至出身左右屏帳入首端正橫案分明生中 或有殺氣>

直龍에 영송사가 기울어져 있으면 이것을 弱龍이라 하고, 主夭死流散한다.
<懶散无氣然更起星峰作穴則反爲大吉不可以弱龍論也大昌>

豊龍에 영송사가 또한 豊하면 이것을 雌龍이라 하고,多女人한다.
豊龍에 영송사가 緩薄하면 이것을 雄龍이라 하고, 出功名한다.
豊龍에 영송사가 경직되고 짧으면 이것을 伏龍이라 하고, 多鰥寡한다.
薄龍에 영송사가 또한 薄하면 이것을 退龍이라 하고, 退産業子孫嫩弱無後한다.
<勢殘氣退>

薄龍에 영송사가 豊嫩하면 이것을 進龍이라 하고, 出豪富子孫好禮한다.<行度有法>
薄龍에 영송사가 경직되고 細하면 이것을 傷龍이라 하고, 多兵傷子孫瘟病한다.
<幾鬼龍分枝劈脈>

巨龍에 영송사가 또한 巨하면 이것을 殺龍이라 하고, 多殺刑虫傷虎咬한다.
<巨坎殺龍左右尖射>

巨龍에 영송사가 嫩細하면 이것을 旺龍이라 하고, 旺人丁한다.
巨龍에 영송사가 顧後하면 이것을 逆龍이라 하고, 出逆人子孫離鄕早死無後한다.
<或驚龍或尖勢逆脊如釛필?不能位氣>

細龍에 영송사가 또 細하면 이것을 偏龍이라 하고, 出庶孼하고 長子無後한다.
<敧斜無法>
細龍에 영송사가 巨抱하면 이것을 正龍이라 하고, 主正人子孫相諒한다.
(諒: 믿을 양)
<或揖龍回抱重重體勢相諒>

細龍에 영송사의 중간이 끊어지면 이것을 絶龍이라고 하고, 必無後한다.
<孤單无力>

右二十四龍變化者니 詳見于下篇圖式하라
우24용의 변화는 상세하게 보게끔 하편에 그림을 그려 놨다.

凡龍格은 二十四而其可用者는 八이요 不可用者는 十六이니 於此에
可見凶多吉小라 可不愼哉아

强龍은 出猛將하고 德龍은 出賢聖하고 福龍은 多官爵하고
生龍은 多子孫하고 雄龍은 出功臣하고
進龍은 出豪富하고 旺龍은 旺人丁하고
正龍은 出正人하니 此所謂吉龍也요
怒龍은 亡家하고 狂龍은 淫家하고 懶龍은 微弱하고
遊龍은 游散하고 劫龍은 出變慨하고 病龍은 出病人하고
死龍은 絶祀하고 弱龍은 夭死하고 雌龍은 多女하고
伏龍은 多鰥寡하고 退龍은 退産業하고 傷龍은 多兵傷하고
殺龍은 多殺刑하고 逆龍은 出逆人하고 偏龍은 出庶孼하고
絶龍은 必無人(後)하나니 此所謂凶龍也니라.
右二十四龍吉凶하라

 용격이란 24개의 종류가 있는데 사용이 가능한 것은 8개요, 사용할 수
없는 것이 16개가 된다. 흉이 많고 길이 적으므로 신중하고 신중해야
된다.
강용은 용맹한 장수가 출하고,
덕용은 성인이 출하고,
복용은 관록인이 많이 출하고,
생용은 자손이 많이 출하고,
웅용은 공신이 출하고,
진용은 부호들이 많이 출하고,
왕용은 인정이 왕하고,
정용은 사람이 많이 나는데 이것이 소위 길용이다.

노용은 집을 망하게 하고,

광용은 음탕한 집이 되고,

나용은 미약하고,

유룡은 산업이 흩어지고,

겁용은 근심할 일이 일어나고,

병용은 병자가 집안에 많이 나오고,

사용은 제사를 지내줄 사람이 없어지고,

약용은 요사하게 되고, 자용은 여자를 많이 출산하고,

복용은 홀아비와 과부가 많이 있게 되고,

퇴용은 산업이 점점 쇠퇴하게 되고,

상용은 군대에 가서 다치게 되고,

살용은 살인하여 형무소에 가게 되고,

역용은 역적이 나게 되고,

편용은 서얼이 출생하고,

절용은 사람이 없게 된 용이니 이것이 소위 흉용이다.

 우측의 24용의 길흉용을 보라.

이 팔괘로서 그 행도를 변별하여 2節을 합해서 보면 64괘가 이루어
지니라. 가령 乾龍 아래에 甲이 있으면 乾卦라 하고, 乾甲아래에 坤乙이
있으면 否卦라 하고, 모두 이하방차하라.

원체 64괘로써 64 방위를 곱하면 4096괘가 이루어지니 전적으로 배우
는 사람의 정심으로 이치를 관찰 하는데 있느니라. 다시 그림으로 설명
하지 아니한다.

대개 용은 24개가 있으나 쓸만한 것은 8이요, 쓸 수 없는 것은 16이
니 가히 심룡의 어려움을 알겠다. 과협은 64개나 있으나 사용할 수 없
는 것이 8이요, 사용 가능한 것이 56이니 가히 과협을 찾는 것이 쉬움
을 알겠다.

그러나 용에는 과협이 있는 것은 사람의 인후가 있는 것과 같음이요,
과일의 꼭지가 있는 것과 같음이라. 과협이 없으면 성봉이 없고, 과협이
있으면 자연적으로 성봉이 있나니 성수와 부합하는 것이 구성이다.

아래의 도식을 봐라.

以其行으로 謂之龍인데 龍者는 變化之謂也라 以其止로 謂之星이니 星者는 枚列之謂也라. 峰巒之枚列於地者는 猶星辰之枚列於天也하야 其形類萬而原本則五行之理氣也라 五行之體가 千變萬化라도 而合於洛書九宮하니 凡九焉而九與五는 其理一也라 何以言之요 三天兩地而依類則天地가 本陰陽故로 爲二하고 其數則五인데 五之中有陰陽한대 一其五而二其二則九也라 至哉라 五行과 九星之理가 不可以一毫間이라 其間者也는 觀者詳之하라 圖見下篇한다. *枚: 처마, 창틀, 창 차

『星宿은 上應天道故로 以動爲陽하고 以靜爲陰하니 此乃陽中之陰陽也라』

그 행하는 것을 용이라 말하는데 용은 변화하는 것을 말한다. 그치는 것을 별이라 하는데 별이란 벌려진 것을 말한다. 땅에 봉만이 나열된 것은 하늘에 별들이 나열된 것과 같고, 그 본래의 그 형상이 수만가지가 오행의 이기이다. 오행의 체가 천변만화라도 락서구궁과 합하나니, 무릇 9라는 것은 9는 5와 더불어 그 이치는 하나이다. 그 말은 무엇인고? 삼천양지에 의거하여 유추하면 천지가 본래 음양으로 보면 2가 되고, 그 수는 5인데 5 가운데 음양이 있는데 一其五而二其二則九也라 이르니라. 오행과 구성의 이치가 터럭만큼 사이가 있어도 안 되니라. 관찰하는 자가 그것을 상세하게 살펴라. 그림은 아래편을 봐라.

『 성수는 위로는 천도에 응하는 고로 동하면 양이 되고, 정하면 음이 되니 이것을 양중지음양이라 한다.』

晟山 朴 永 仁 著

전남 영암출생(1964年)
광주일고 졸업
중앙대학교 법과대학 법학과 졸업
기문풍수지리 이기법 연구
기문풍수지리 형기법 연구
기문풍수지리 택일법 연구
수강 유종근 선생님으로부터 풍수지리학 모든 것을 사사 받았으며, 그 외 9분의 스승님께 사사 받음.

現在

조선대학교 평생교육원 기문풍수지리학 초빙 교수
조선대학교 평생교육원 기문사주학 초빙 교수 역임
광주여자대학교 평생교육원 도선풍수지리학 초빙 교수 역임
광주여자대학교 평생교육원 기문사주학 초빙 교수 역임
광주대학교 평생교육원 기문둔갑 초빙 교수 역임
광주대학교 평생교육원 도선풍수지리학 초빙 교수 역임
기문풍수지리학회 회장
기문철학원장

저서

- 기문풍수지리학/2015년 12월 11일/글로리아 북(출판사)
- 알기 쉽게 풀이한 비장기문통기론/2018년2월14일/도서 출판 정음

- 산양지미 주해(주경일 저)/2019년 4월/주식회사 부크크
- 알기쉽게 풀이한 정통기문둔갑
- 알기쉽게 풀이한 정통풍수지리 상, 하
- 각종 택일법 연구

九層 羅經의 팔요수와 황천살 허실 연구

발행일: 2024년 7월 3일
저　자: 성산 박 영 인
펴낸이: 한건희
펴낸곳: 주식회사 부크크
출판사등록: 2014.07.15.(제2014-16호)
주 소: 서울특별시 금천구 가산디지털1로 119 SK트윈타워 A동 305호
전　화: 1670-8316
이메일: info@bookk.co.kr
ISBN: 979-11-410-9288-7

정　가: 57,800원